PIRATES

5. Trésor noir

Catalogage avant publication de Bibliothèque et Archives nationales du Québec et Bibliothèque et Archives Canada

Bouchard, Camille, 1955-

Trésor noir

Cinquième tome de la série Pirates.
Pour les jeunes de 13 ans et plus.

ISBN 978-2-89647-244-4

I. Bouchard, Camille, 1955- . Pirates. II. Titre.

PS8553.O756T73 2010   jC843'.54   C2009-942705-2
PS9553.O756T73 2010

Les Éditions Hurtubise bénéficient du soutien financier des institutions suivantes pour leurs activités d'édition:

– Conseil des Arts du Canada;
– Gouvernement du Canada par l'entremise du Programme d'aide au développement de l'industrie de l'édition (PADIÉ);
– Société de développement des entreprises culturelles du Québec (SODEC);
– Gouvernement du Québec par l'entremise du programme de crédit d'impôt pour l'édition de livres.

Éditrice jeunesse: Sonia Fontaine
Conception graphique: Kinos
Illustration de la couverture: Kinos
Mise en page: Martel en-tête

Copyright © 2010
Éditions Hurtubise inc.

ISBN 978-2-89647-244-4

Dépôt légal/1er trimestre 2010
Bibliothèque et Archives nationales du Québec
Bibliothèque et Archives du Canada

Diffusion-distribution au Canada: Diffusion-distribution en Europe:
Distribution HMH   Librairie du Québec/DNM
1815, avenue De Lorimier   30, rue Gay-Lussac
Montréal (Québec) H2K 3W6   75005 Paris FRANCE
Téléphone: 514 523-1523   www.librairieduquebec.fr
Télécopieur: 514 523-9969
www.distributionhmh.com

Imprimé au Canada
www.editionshurtubise.com

CAMILLE BOUCHARD

PIRATES
5. Trésor noir

Hurtubise

CAMILLE BOUCHARD

Camille Bouchard, auteur prolifique, écrit depuis plus de trente ans, des récits d'abord, puis à titre de romancier depuis 1986. Plusieurs de ses romans ont été couronnés par des prix prestigieux tels les Prix littéraires du Gouverneur général du Canada et le *White Ravens International List*. Son public principal est celui des adolescents, mais il écrit avec un égal plaisir pour les adultes et pour les enfants. Grand voyageur, il a exploré plusieurs pays d'Afrique, d'Asie et de l'Amérique du Sud. Enrichi de tous ses voyages et particulièrement passionné par la découverte de l'Amérique, il a écrit la présente série en s'inspirant des conflits qui opposèrent conquérants et autochtones au cours du XVIe siècle et des déboires des premiers Européens venus dans le Nouveau Monde.

Trésor noir est le cinquième tome de la série «Pirates». Il clôt un cycle, celui du terrible capitaine Cape-Rouge.

Vous pouvez visiter le site Internet de cet auteur ou lui écrire:

www.camillebouchard.com
camillebouchard2000@yahoo.ca

À Claude Proteau
qui a rêvé aussi d'écrire.

« De nombreux livres d'imagination [...] sans aucun lien avec la religion [...] sont envoyés aux Indes ; comme ceci est pratique néfaste [...], je vous ordonne de n'accorder désormais ni privilège ni autorisation à qui que ce soit d'emporter là-bas des livres d'imagination, mais seulement [des ouvrages] qui ont trait à la religion et à la morale chrétienne. »

Isabelle de Portugal (1503-1539)
Reine d'Espagne

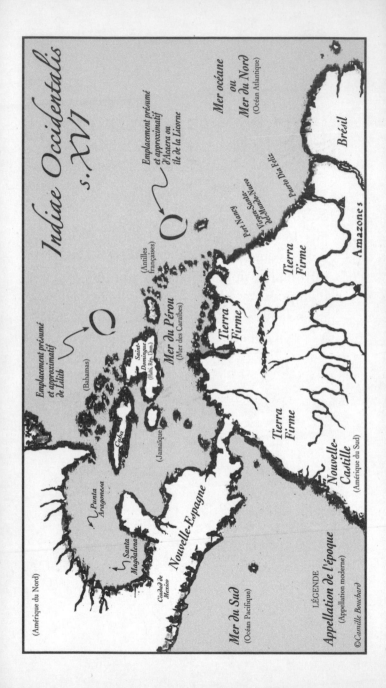

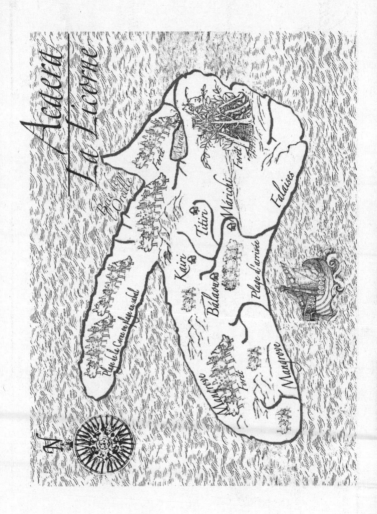

NOTES AUX LECTEURS

Pour insoutenables qu'elles paraissent, les scènes de violence décrites dans ce roman relèvent non pas de ma fantaisie, mais de témoignages issus de documents de l'époque. L'imagination des pirates en matière de supplices à infliger à autrui dépasse, et de loin, la mienne.

Nous connaissons très peu de choses des mœurs et coutumes des Kalinagos, peuplade hostile aux Espagnols et que les explorateurs de l'époque méprisèrent, car ils avaient la détestable réputation de manger la chair humaine. C'est d'ailleurs l'une des nombreuses déformations de leur nom qui donna le vocable « cannibale » : Cariba, Caliba, Caniba, Cannibale, Calina, Calinago et, finalement, la graphie Kalinago. Et c'est de là, également, que sont dérivés, en espagnol, en anglais et en français, les termes « Caribe », « Caribbean » et « Caraïbes ».

Par respect, je n'ai rien inventé de leur véritable mode de vie, modelant mon histoire en fonction des détails que nous en relatent les rares documents du temps. Toutefois, puisque des éléments de leurs coutumes variaient d'une île à l'autre, je me suis permis de prendre ce qui me convenait des uns et des autres pour façonner le peuple d'Acaera, l'île de la Licorne.

Puisque le récit est parsemé de nombreux termes maritimes, d'expressions venues du vieux français — et qui ne sont plus en usage de nos jours — ou de mots dérivés des dialectes indigènes de l'époque, l'éditeur et moi avons jugé bon d'insérer un glossaire à la fin de l'ouvrage et d'y renvoyer le lecteur au moyen d'un astérisque. Pour limiter le nombre de ces renvois, la plupart des mots qui apparaissent déjà dans le glossaire des tomes précédents ne sont pas repris dans celui du tome actuel.

C. B.

PROLOGUE

Printemps 1605,
quelque part en Bretagne

Lorsque les magistrats apparaissent enfin de la Chambre du parquet, la salle du tribunal grouille de monde : accusés, sergents, chicaneurs, procureurs, commissaires du roi, tabellions, huissiers et notaires — car on y traitera de biens saisis —, appariteurs* — puisque de nombreux biens relèvent du clergé —, greffiers, juges pédanés*, témoins, et même spectateurs venus tant de la noblesse que de la roture. Ces derniers se sont agglutinés là où les archers leur permettent de s'attrouper, soit à l'entrée du vaisseau*, soit dans les tribunes. Ils composent une masse disparate de visages variés, les uns exprimant l'amusement, les autres, le sérieux, certains s'étant présentés pour la distraction d'un procès d'une telle envergure, les autres pour les sujets qui y seront débattus.

Le président de la Cour, les traits brossés de l'austérité qu'ordonne sa charge, après le conciliabule d'usage auprès de ses officiers de justice, impose le silence de son seul regard posé sur la salle. Sa longue barbe grisonnante frôle le bois de la table derrière laquelle il officie. Devant lui s'amoncelle la paperasserie des intendits, complaintes et compuloires*. D'un œil exercé, il s'assure de la disposition et de la qualité du greffier qui, plume fraîchement biseautée à la main, se pare à noter acarations et déclinatoire. Satisfait, le président, de sa voix au timbre parfaitement adapté à la gravité de la cause, annonce :

— Au nom de Sa Majesté Très Chrétienne, Henri le Quatrième, Roi de France et de Navarre et Coprince d'Andorre, devant Dieu qui connaît toute chose, seront jugés en ce tribunal pour crimes de vols, meurtres, actes de guerre et piraterie, les individus dont les noms apparaissent au greffe et qui vont comme suit.

Et le magistrat de nommer chacun des quatre-vingt-neuf accusés dont l'énoncé, chaque fois, tire un murmure de la salle, de surprise parfois, d'approbation souvent, de contentement toujours. Car le commun ainsi que le bourgeois se réjouissent de l'infortune des autres, se distraient de leurs disgrâces et revers, se valorisent de leur chute. Voilà ce à quoi je songe alors que les noms de ces quatre-vingt-neuf hommes que j'ai connus et côtoyés dans la mer des Antilhas — ou mer du Pérou — résonnent contre les murs de pierre de l'immense salle du tribunal.

Je scrute les visages de chacun d'eux. On les a regroupés enchaînés derrière un pare-ment de bois qui enclot un angle du vaisseau. Plusieurs sont soutenus par leurs camarades, le corps meurtri par les supplices de la question. Sur leur chair à vif, quelques traî-nées sanguinolentes témoignent encore de l'expression récente de l'art du bourreau.

Le temps s'écoule lentement, car le pré-sident entreprend d'énumérer, en sus de leurs substantifs, titres, âge et profession, les crimes reliés à chacun. Des murmures éma-nent de la foule lorsque certains sobriquets plus notoires surgissent au gré de l'énumé-ration : le Jésuite, Nez en-Moins, Grenouille, Bec-de-Flûte, Deux-Poignards… Toutefois, ce n'est qu'à la parfin, lorsque sourd le nom du seul pirate dont la renommée soit connue de tous, que des grimaces voirement outragées se dessinent. Chacun tend à apercevoir celui dont les crimes sont si atroces dans l'imagerie qu'ils suscitent, si longs dans leur inventaire, que plusieurs — surtout les garces — mettent une main devant leur bouche en ridant leur front de dégoût. On le cherche des yeux, on se pousse des épaules, les plus impertinents le désignent même de l'index.

Chacun est surpris de découvrir, au milieu des hommes qui furent autrefois son équipage, un vieillard aux yeux plus chagrins que mauvais, au port plus gracieux que morgue. Il n'affiche point les meurtrissures du bourreau, marque de respect dû à son rang et à son âge… ou preuve de sa coopération avec les accusateurs. Sa barbe est peignée avec soin, sa longue chevelure blanche et abondante est nouée sur sa nuque à l'aide d'un ruban de soie. Vêtu d'un pourpoint soigné de couleur bleue, d'une chemise aux manches crevées de taillades à la mode castillane, même s'il paraît abattu, même au milieu de la racaille qui l'environne, le vieil homme paraît plus digne, plus estimable que les magistrats qui le confrontent. Est-ce bien là celui qui, pendant des décennies, comme capitaine de navire d'abord, potentat d'un royaume secret ensuite, protecteur et commanditaire de flottes pirates, a livré bataille à toutes les nations, chrétiennes comme païennes, espagnoles comme portugaises, anglaises et hollandaises? Est-ce bien là l'émule du sinistre Cape-Rouge, est-ce bien lui le fameux, le redoutable, le terrifiant capitaine Mange-Cœur? Les prêtres disent pourtant des flibustiers en général, des pirates en particulier, que leurs méchantes inclinations transforment peu à peu leurs têtes en celles de chiens ou de singes. Sont-ce donc là fariboles?

Ce vieillard-ci est un beau vieillard.

— N'oublie point que le diable prend toujours la forme du plus séduisant des hommes, murmure une garce à sa voisine.

— Voilà pourquoi mon curé est si laid, ricasse l'autre de la même voix feutrée.

Quand la longue litanie des crimes est enfin terminée, que l'assistance a retrouvé un semblant de calme, le président de la Cour appelle le premier témoin à se présenter en face de la table des officiers.

Moi.

Encadré par deux sergents qui me guident, on me demande de décliner nom, origines, profession, âge, statut et autres détails plaisants à entendre aux doctes juges. L'échange commence alors, le président se taisant pour offrir tout l'espace à ses subordonnés.

— Êtes-vous disposé à raconter à cette Cour tout ce que vous connaissez de la vie et des crimes des accusés?

— Je le suis et le puis, Votre Honneur.

— Ne dites point «Votre Honneur», ce tribunal n'a mie à voir avec le roi d'Angleterre.

— Que Votre Grâce me pardonne.

— Usez de «Votre Seigneurie».

— Au gré de Votre Seigneurie.

— Vous connaissez chacun des hommes accusés ici par cette Cour?

— Si fait, Votre Seigneurie.

— À quel titre?

— J'ai été secrétaire du bord de tous les navires du capitaine Mange-Cœur.

— De quel moment à quel moment?

— Depuis aussi loin qu'il m'est possible de me ressouvenir, Votre Seigneurie. J'ai été élevé parmi ces hommes. J'ai tout vu. J'ai tout lu des anciens livres de bord. J'ai écrit les plus récents. Enfin... ceux des trente-cinq dernières années.

Le magistrat désigne sur une table voisine un amas considérable de manuscrits entremêlés, vélins, palimpsestes, parchemins, écorces même, classés par ordre d'époques plutôt que de matériau, créant illusion de fouillis.

— Le pirate… capitaine Mange-Cœur a lui-même beaucoup écrit et quelques-uns de ces documents ont été rédigés dans les derniers mois. Pendant son emprisonnement, en fait.

— Au vrai, Votre Seigneurie. Et vous me voyez acertainé que d'aucuns qui s'aviseraient d'en vérifier la concordance avec mes propres registres n'y trouveraient mie à opposer.

— Nous verrons. Vous êtes instruit des détails des pourchas*?

— Oui, Votre Seigneurie.

— Racontez votre histoire.

1

La ville s'appelait... enfin, s'appelle encore de nos jours Nombre de Dios. On la trouve sur l'isthme de Panamá, dans les Indes occidentales. Elle s'étend sur les côtes de la *Tierra Firme* près des remparts d'une garnison espagnole qui veille à la protéger. Toutefois, les murailles surplombant le port s'avèrent bien fragiles à cause d'un marais malsain qui jouxte les fortifications. En ce temps-là, Vos Seigneuries, c'est-à-dire en 1554, l'agglomération ne s'en trouvait pas moins le relais incontournable des richesses qui traversaient la langue de terre. Tout l'or de l'empire inca, tout l'argent des mines de Potosí y transitaient par une route pavée de pierres appelée *Camino Real* depuis la *Ciudad de Panamá* à vingt lieues de là. À cette époque, le corsaire anglais Francis Drake n'avait point encore commencé à sévir. C'est lui qui saccagea ce relais des Antilhas, dix-huit ans après les faits que je veux vous rapporter céans. Mais là n'est point notre propos.

À cette époque, adonc, lorsque la *San Pedro* en aborda les rives, les quais de Nombre de Dios grouillaient de la frénésie qui caractérise une agglomération marchande et prospère. Pailles-en-queue, albatros et sarcelles hachuraient le ciel de traits blanc et marron, entremêlant leurs mauresques aux pavillons qui claquaient au sommet des mâts des navires. L'azur se trouvait fouetté des couleurs espagnoles où s'entrecroisaient les armoiries de Castille, d'Aragon et de la Catalogne, les héraldiques moins connues de quelques nobliaux d'Andalousie ou de l'Estrémadure, les étendards du Saint-Empire germanique, et les gigantesques calvaires rouges teints sur les voiles.

Mains en appui sur la lisse du château de poupe, vêtu pour la circonstance d'une veste de serge, haut-de-chausse usé, mais sans déchirure ni accroc, Santiago jouait son rôle de capitaine d'un navire marchand honnête venu négocier dans les ports des Indes occidentales. À ses côtés, engoncé dans son éternelle bure grossière, le Jésuite ajoutait une note d'authenticité à la mise en scène. Il n'aurait point fallu toutefois qu'un alguazil* du port ôtât la gaine du crucifix qui pendait au cou du prêtre, car, à sa grande surprise, il aurait découvert, en lieu et place des jambes du Christ, la lame affûtée d'un poignard.

— Ancre à l'eau! Hé, hé! hurla Santiago en espagnol à Cristiano qui, pour l'occasion, agissait à titre de quartier-maître au centre du tillac.

Celui-ci relaya l'ordre aux hommes de quart à la proue et le cabestan laissa défiler le cordage à la hauteur des capons. La *San Pedro*, dont l'erre s'était déjà particulièrement réduite depuis que les voiles avaient été ferlées, grinça à peine sous la tension du câble quand l'ancre se saisit des coraux au fond des eaux.

— N'amène que des Espagnols avec toi, murmura N'A-Qu'Un-Œil de sa position auprès du râtelier de l'artimon, là où il jouait le rôle de gabier. Il ne manquerait plus que l'un de vous s'échappe à parler en français au milieu des papistes.

— Je suis papiste aussi, grogna le Jésuite en exagérant une mine offensée.

— Eh bien, contente-toi du latin de tes oraisons ou reste à bord.

— Hé, hé! ricassa Santiago sans raison, ainsi qu'il en avait coutume. Le Jésuite est castillan, point français. J'ai besoin de lui à mes côtés. Il donne créance à notre délégation, il suppose l'honnêteté et, en plus, hé, hé! il sait compter. Il négociera le prix des marchandises.

— Ça va, approuva le bosco, les mains sur les reins, cambrant le dos pour se déraidir de sa position penchée sur les cabillots. Je me morfonds seulement de ne pouvoir vous accompagner au milieu de la racaille espagnole. Si ces drôles se doutaient un seul instant que les hommes de Cape-Rouge baguenaudent parmi eux en se faisant passer pour des marchands castillans, nos têtes orneraient l'entrée de la ville dès demain.

D'un geste vague de la main qui couvrit l'angle entre la poupe et la proue de la *San Pedro*, il poursuivit:

— Ce n'est point avec cette caravelle à peine armée, trop peu véloce, que nous échapperions à la canonnade que lors nous cracheraient les remparts.

— Ne te fais point martel* pour moi, rassura le Jésuite. Je saurai tenir ma langue pour n'en user qu'avec le castillan.

— Hé, hé! J'aurai aussi besoin du fadrin.

— Lionel? Pourquoi? Il ne parle point espagnol.

— Eh! Cap de Diou! lança Lionel avec un juron de sa Gascogne natale dont il usait

24

parfois. Je ne suis plus fadrin, j'ai dix-huit ans.

Il se tenait au pied de la dunette et avait réagi si fort qu'une oreille fine au bout des quais l'aurait pu ouïr.

— Dix-sept, corrigea Santiago. Et si ça se trouve, tu n'en as peut-être que seize. Hé, hé !

— Que le feu Saint-Antoine t'arde, Espagnol de mes fesses. J'ai…

— Paix ! ordonna N'A-Qu'Un-Œil. Je ne suis point certain, Lionel, que tu maîtrises assez tes passions pour garder la tête froide si un contretemps, pis ! une malencontre, survenait en la cité.

— Laisse-moi te prouver l'opposite, le défia le jeune marin.

On vit fort bien les muscles des mâchoires du bosco se crisper d'agacement quand il répliqua, en pesant chaque mot :

— Ne discute point mes ordres !

Ce fut Santiago qui s'interposa pour éviter quelque blâme à Lionel.

— Hé, hé ! Si je me permets d'insister, N'A-Qu'Un-Œil, c'est que Lionel est le seul, à part le Jésuite, qui sache lire et écrire. Il s'assurera des documents à échanger avec les marchands. Et il comptera l'argent. Il compte mieux que n'importe lequel d'entre nous. Il agira à titre d'économe*. Hé, hé !

— Et s'il avait à argumenter avec...

— On le prétendra muet, proposa le Jésuite. Et on le conjoindra à Nazareno, notre bon, mais ô combien demeuré compagnon. Les rares curieux qui s'y voudraient intéresser s'en lasseront bien vite.

En oyant prononcer son nom, le marin à l'esprit déficient qui s'affairait près de Lionel se mit à sourire à la volée. Avec son bec-de-lièvre, il donnait plutôt l'impression de grimacer de dégoût, mais toute la douceur du monde se lisait dans ses pupilles à demi couvertes par des paupières tombantes.

N'A-Qu'Un-Œil passa une main sur son visage pour en essuyer la moiteur. Par inapplication, il dérangea son cache-œil qu'il entreprit de replacer avec minutie. Ces secondes supplémentaires lui donnèrent loisir de réfléchir plus avant. Il détestait avoir à jongler avec ce genre de décision qui l'obligeait à augurer trop loin d'avance, avec trop de fortuits. Ah ! Comme tout lui semblait simple sur un pont, en plein abordage, quand on n'avait, pour unique stratégie, que de frapper le premier et à l'endroit qui faisait le plus mal.

— D'accord, déclara-t-il enfin. Mais par les moustaches du Christ, point de lourderie !

⚓

Ils se trouvaient neuf hommes à bord du youyou dont six à ramer — trois esclaves africains, Nazareno, Cristiano et Ronaldo. Lionel et le Jésuite avaient le port sérieux des gens de plume et Santiago, debout à l'étrave, jouait au capitaine, menton relevé, mante sur les épaules. Il se donnait des airs de gentilhomme avec sa longue épée à la taille, son chapeau rehaussé d'une plume, mais ses grosses mains lardées d'escarres, la large cicatrice en travers de son visage et ses fortes mâchoires l'apparentaient malgré lui au forban qu'il était.

Une brise de terre portait les parfums des frangipaniers, sapotilliers et *camoury* qui diapraient les flancs boisés des collines. Les clameurs des gens du port — mariniers qui s'interpellaient, pêcheurs qui montaient leurs étals, marchands qui fanfaronnaient sur la qualité de leurs *batatas** ou de leurs cochonnailles — s'oyaient par-dessus le ressac et le vent.

Le youyou atterrit à proximité des barques des chaloupiers qui prêtèrent peu d'attention à ces arrivants menant des Nègres.
Ronaldo resta en vigile près de l'embarcation
tandis que les huit autres s'ébranlaient en
direction des portes de la ville. On les orienta
promptement vers un marchand du bazar qui
troquait, à l'occasion, pour les muletiers de
l'armée ou les maraudeurs des mines de la
Nouvelle-Castille, les esclaves frais débarqués.
Santiago, Cristiano et le Jésuite préféraient
marchander avec un intermédiaire plutôt que
de négocier directement avec la garnison ; un
militaire pouvait les reconnaître pour les avoir
croisés, soit au cours des combats, soit du
temps où ils pourrissaient tous trois dans les
cellules de la *Casa de Piedras*[1].

Pour Lionel et Santiago, qui n'avaient
point eu occasion de contempler une vraie
ville depuis leur départ respectif de leur pays
d'origine, Nombre de Dios leur parut gigantesque. Du moins en imposait-elle avec son
église, sa *plaza mayor* et ses édifices officiels
comparativement aux vulgaires bourgades,
présides, comptoirs, voire villages cannibales,
qu'ils avaient habitude de fréquenter.

---

1. Voir le tome 3 de la série : *L'Emprise des cannibales*.

— Ce sont vos spécimens?

— *Sí, señor.* Hé, hé!

Le marchand s'appelait Francisco. Il était gras, laid et puait le poisson. Sa chevelure agneline — qui n'était point sans rappeler celle des Nègres — dégoulinait d'une moiteur grasse aux tempes et au front.

Son étal de marchandises, aussi diversifiées que la sardine et l'*eyyoua**, se trouvait engoncé au beau milieu du bazar, un plaid de mauvais tissu en guise de cagnard et un pan plus usé encore en qualité de cloison.

L'homme s'essuya les mains à la hauteur de la poitrine — contre sa chemise déjà fort maculée — et approcha le nez du premier esclave présenté. Il devait lever fort haut le menton, car il n'avait point une grande taille et les trois Africains choisis pour l'affriander jouissaient d'une forte stature. Il leur fit ouvrir la bouche, examina leur langue, leurs dents… Il lécha même le dos de chacun d'eux afin de se garantir qu'on ne les avait point oints de quelque huile ou graisse pouvant le tromper sur la santé des gaillards.

— Combien en avez-vous, pareils à ceux-ci, à bord de votre navire? demanda-t-il après que sa première inspection l'eut satisfait.

— Cinquante-quatre en tout, *señor*, répondit Santiago. Hé, hé !

— Tous ainsi que ceux-là ou vous me ragoûtez seulement ?

— Aucun malade, *señor*. Hé, hé ! Nous nous en sommes débarrassés en mer sans attendre afin d'éviter la contamination au reste de la cargaison.

En fait, les nombreuses semaines écoulées entre la capture du négrier *San Pedro* et le voyage à Panamá avaient permis aux pirates de si bien nourrir et soigner les captifs que ces derniers, désormais, resplendissaient d'une solide santé.

Le marchand d'esclaves passa la main sur son visage, les lèvres avancées dans une moue prononcée de manière à signifier une profonde réflexion. Il toisa Lionel qui, plume de roseau trempée dans le suc de genipa* en guise d'encre, immobilisée au-dessus d'une feuille de palmiste, se parait à écrire le montant annoncé. Francisco renifla bruyamment en revenant poser son regard sur les Nègres puis proposa :

— Normalement, je vous offrirais soixante ducats*, mais les exploitants des mines d'argent au sud du Pérou ne sont point satisfaits du rendement des Nègres dans les montagnes. Paraît que ces freluches* meurent plus aisément que les Sauvages deux fois plus petits qu'eux. Alors, forcément, la demande faiblit et les prix baissent…

— Combien, *señor* ?

— Quarante ducats.

Pour Lionel, même sans entendre vraiment le castillan, il était facile de traduire les paroles du marchand : *sesenta ducados*, soixante ducats ; *cuarenta ducados*, quarante ducats… C'était davantage le calcul qui lui posait problème. Soixante divisé par trois… voyons… vingt ducats pour chacun des esclaves, voilà, mais quarante divisé par trois, là, l'opération s'avérait plus complexe.

— Quarante ducats, *señor* ! s'interposa le Jésuite dans son meilleur espagnol. Allons, faites un effort. Devant Dieu qui nous regarde, nous vous baillons là marchandise de toute première qualité.

— Qui me garantit que la qualité se maintient parmi les autres drôles que vous avez à bord ?

— Il n'en tiendra qu'à vous d'en juger quand nous les débarquerons, s'enflamma le Jésuite. Allons, si vous ne voulez point y mettre du vôtre, nous irons les proposer directement à la garnison qui nous en offrira soixante, voire soixante-cinq ducats, mais nous aurons tracas d'ergoter, de remplir devis et formules, d'attendre dix jours sinon plus que les plumitifs veuillent bien enfin nous accorder nos crédits. *Señor* Francisco, quel diable d'homme êtes-vous là de nous consentir pareille misère, à nous ainsi qu'à vous, de nous obliger à transiger avec la soldatesque tandis que vous, vous perdrez tout profit de la revente de ces cinquante-quatre esclaves?

Le marchand expira bruyamment, donna l'impression de réfléchir en inspectant une dernière fois les trois captifs devant lui puis, laissant ses épaules s'abattre ainsi qu'il prodiguerait là une largesse au-dessus de ses forces, lâcha:

— Va pour cinquante ducats. Je ne peux faire mieux.

— Cinquante ducats. À la bonne heure! s'exclama le Jésuite. Je vous bénis, *señor* Francisco, vous êtes un saint homme.

«*Cincuenta ducados*», se répéta Lionel mentalement, l'œil fixé sur la pointe de la plume qui traçait les chiffres. Cinquante divisé par trois... Crotte de biche! C'était encore plus compliqué que quarante...

Voyant que le calcul semblait tribouiller son jeune compagnon et craignant qu'il ne perdît patience, Santiago crut bon de demander au marchand :

— Euh... Hé, hé ! Pour nos lascars, *señor* Francisco, ça fait combien pour chacun ? Hé, hé !

— Quoi, chacun ? répliqua le gros homme en fronçant les sourcils. Je viens de vous dire cinquante ducats, ne venez point me tourmenter encore que c'est trop peu ?

— Cha... cun ? Mais alors, pour les trois...

— Pour les trois, pour les trois... Vous ne savez point compter ? Votre économe, là, avec sa belle feuille de palmiste, il se donne des airs de tabellion, mais méconnaît les chiffres ? Cinquante fois trois, ça nous fait cent cinquante ducats. Peste, messieurs ! Il me semble que c'est là fort belle somme pour ces gros singes noirs.

Santiago et le Jésuite échangèrent un regard incrédule. Cent cinquante ducats ! Pour trois esclaves qui ne leur avaient rien coûté. Au cours actuel, cela signifiait... plus de cinquante mille maravédis ! En livres, ça donnait... combien valait la livre, déjà ? Cristiano, dont le père élevait des moutons dans ses Asturies natales, par réflexe, convertit le montant en la devise qu'il connaissait le mieux : cent cinquante ducats valaient… trois quintaux de laine !

— Par le caleçon de Belzébuth, *señor* Francisco ! s'exclama le Jésuite. Pour un tel prix, je vous offre à boire, moi. Et toute la nuit !

— Hé, hé ! Hé, hé ! ricassait bêtement Santiago qui ne trouvait plus de mots pour exprimer sa satisfaction. Hé, hé !

— *Bueno*, fit le marchand en balayant l'air d'un geste évaltonné et en pivotant sur ses talons. Amenez-moi ces bougres à l'intérieur. J'ai une cage pour les accueillir en attendant que vous retourniez me…

À l'autre bout de la rue, une rumeur qui grondait depuis un moment au-delà des échoppes faisant angle prit soudain une ampleur plus importante.

— *¿ Qué pasa ?*

La voie — étroite, faut-il dire — s'était remplie de monde et l'on distinguait fort bien quatre gardes armés repoussant sans ménagement quelques poissards osant s'avancer de trop près. L'ardeur des soudards était alimentée par la crainte qu'une main grasse ne vienne tacher le pourpoint soigné du gentilhomme qu'ils encadraient.

— ¿ *Quien es* ? demanda le Jésuite. Qui est-ce ?

Le *señor* Francisco plaça une main sur sa poitrine et usa d'un ton rempli de respect.

— Il s'agit de *don* Bernal Díaz del Castillo. Il a été nommé, par Sa Majesté l'empereur Charles Quint lui-même, *regidor** de Santiago de Guatemala. Santiago, Saint-Jacques, comme votre nom, capitaine.

Santiago eut un haussement d'épaules d'indifférence. Le gros marchand n'en perçut mie, trop ébloui par la présence du visiteur qui avançait pas à pas, prenant le temps d'examiner les marchandises de chaque étal qu'il croisait. Le Jésuite, toutefois, ne manqua point de s'aviser de la réaction de son compère.

— Tu ignores de qui il retourne ? demandat-il en espagnol à Santiago.

— Hé, hé ! Jamais ouï le nom.

— ¡ *Por la Santa Madona, don Santiago* ! s'exclama Francisco. Ce *caballero* était de l'expédition de Cortés lorsqu'ils ont pénétré à Tenochtitlán-Mexico à l'époque de l'empereur Moctezuma ! Il est de ceux qui ont combattu vaillamment et vaincu les Aztèques !

— Connaissais point, hé, hé!

— Il était même de l'équipage de Francisco Hernández de Córdoba puis de celui de Juan de Grijalva, qui ont découvert et exploré les côtes du Yucatán, il y a bien… trente-cinq, quarante ans[1].

— Un pur conquistador, si je puis me permettre, émit le Jésuite.

— De la meilleure graine, répliqua le gros marchand, la main toujours sur le cœur — en semblant le retenir de sourdre d'excitation de sa poitrine tandis que l'attroupement se rapprochait de son étal.

Le Jésuite jugea prudent, à l'intention de Lionel et de Nazareno qui n'entendaient mie à ce qui se passait, de placer discrètement un doigt sur ses lèvres en fermant à demi les paupières. «Restez calmes, semblait dire son expression. Il n'y a point lieu de s'alarmer. Les explications viendront en leur temps.»

— *Don* Bernal Díaz est à Nombre de Dios depuis deux jours, s'obligea à préciser Francisco pour évacuer de son émotion. On dit qu'il y est en visite de plaisir, mais c'est à se demander s'il n'y vient point étudier la manière dont l'*Audiencia de los Confines y del*

---

1. C'était, en fait, en 1517 et 1518.

Perú, sous l'autorité de la vice-royauté de la Nouvelle-Castille, a englobé le territoire de l'ancienne *Audiencia* de Panamá. Peut-être veut-il conseiller le vice-roi de Mexico de nous rattacher plutôt à la juridiction de la Nouvelle-Espagne.

Les quatre sergents qui formaient la garde du visiteur repoussèrent de leurs mains gantées de fer les badauds trop près de l'étal de Francisco de manière à ouvrir un passage à del Castillo qui venait de manifester l'envie de voir les Nègres de plus près. Pendant que le conquistador les détaillait d'un air de connaisseur, les pirates purent, à leur aise, lui rendre la pareille en l'observant intensément.

Bien qu'âgé de cinquante-huit ans, le *regidor* s'efforçait de conserver le port altier qui sied aux hidalgos : dos cambré, hanché sur la jambe senestre, main sur le pommeau de sa rapière... Le temps, les combats et les épreuves traversés ne semblaient guère avoir eu effet sur son physique. Lorsqu'il ôta son chapeau pour, à l'aide d'un mouchoir, en essuyer la sueur, on distingua bien une calvitie naissante, de minces cheveux fort grisonnants, mais cela ne contribuait qu'à bailler à son visage à peine ridé plus de noblesse encore. Les vêtements riches qu'il portait, le fourreau du meilleur cuir qui égratignait la terre à son côté, annonçaient le rang qui était sien, et sa voix, claire et posée lorsqu'il s'adressa à Santiago, ne déparait point sa prestance.

— Vous apportez un arrivage de Nègres ? demanda-t-il.

— *Sí, Excelencia*. Hé, hé ! répondit le pirate en retirant son chapeau.

— Voilà qui est de bon aloi. Cette colonie manque d'esclaves pour se mieux développer.

Del Castillo hocha la tête ainsi qu'on exprime une fatalité incontournable. Il poursuivit :

— Et les Sauvages, cette main-d'œuvre locale, punis par le bon Dieu de ne point suivre les exhortations de nos prêtres, meurent d'épidémies que les topiques* de nos chirurgiens ne parviennent point à endiguer.

— Hé, hé ! *Sí, Excelencia*, répliqua bêtement Santiago qui ne savait trop comment — ni ne voulait trop — pousser l'échange.

— *Don* Bernal, s'interposa Francisco. Je suis le marchand qui négocie avec ces gentilshommes, et j'aimerais vous exprimer ma grande admiration pour les états de service de Votre Excellence.

— Tu sais écrire, mon garçon ? s'étonna del Castillo en remarquant la plume dans les mains de Lionel et sans accorder le moindre intérêt à l'intervention du commerçant.

Il y eut deux secondes de flottement où le jeune pirate fixa directement le *regidor* dans les yeux. Tout dans son attitude exprimait qu'il n'avait entendu mie à l'observation. Ce n'est que lorsqu'il avisa l'index pointé vers sa plume qu'il devina le propos et il hocha la tête de haut en bas à l'instant même où le Jésuite venait à sa rescousse.

— Notre ami est muet, Votre Excellence. Et pratiquement sourd. Il compense ses travers par l'apprentissage et l'utilisation de l'écriture.

— Voilà qui est fort louable, se réjouit del Castillo en jetant une brève œillade à Nazareno, en notant son regard éteint, son bec-de-lièvre, et en revenant incontinent à Lionel. Comment t'appelles-tu ?

— Il s'appelle… euh… Hernán, Votre Excellence, répliqua trop vite le Jésuite et en regrettant d'emblée le premier prénom qui lui était venu à l'esprit.

— Hernán? Vraiment? J'ai connu un Hernán, jadis.

— Oui, nous savons, nous savons, s'enthousiasma Francisco qui ne lâchait point son idole des yeux. Le grand Hernán Cortés, n'est-ce pas?

Bernal Díaz del Castillo pinça les lèvres, mais on n'aurait su dire si c'était d'amertume pour une époque révolue, d'agacement pour un admirateur trop empressé… ou de rancœur envers un ancien familier qui l'avait déçu.

— Hernán, reprit le *regidor* en se penchant face à Lionel. Regarde bien mes lèvres, essaie d'y lire ce que je dis: j'ai appris très jeune à écrire, mais Dieu me damne si cela m'a jamais servi avant mon poste de *regidor*. À toi de faire en sorte que ton talent te serve dès à présent.

Sous l'air niais de Santiago qui masquait avec peine sa hâte de voir l'attroupement poursuivre sa route, le Jésuite fit semblant de répéter à Lionel, par signes, les paroles du conquistador. N'ayant toujours entendu miette, le jeune pirate joua son rôle en mimant, à son tour, des gestes et des grimaces avec lesquels le Jésuite devait improviser une répartie. Ce dernier, un sourire vaguement forcé aux lèvres, revint vers del Castillo pour affirmer :

— Hernán réplique, Votre Excellence, que… qu'il vous sait gré de votre bienveillance, qu'il s'efforce déjà de noter chaque jour les péripéties de nos tribulations en mer, que c'est sa manière à lui de… disons de se… euh… fabriquer un nom si jamais le Ciel ne lui accordait, ainsi qu'Il en a agréé Votre Excellence, l'heur de se bâtir une gloire par faits d'armes et grandes conquêtes.

— Fabriquer un nom, hum ?

— Pour les siècles à venir, Votre Excellence.

Bernal Díaz del Castillo, muet à son tour, regarda Lionel un long moment dans les yeux. Toute l'attention de la foule qui entourait le *regidor* et sa suite se concentrait sur le jeune pirate, affolant peu à peu Santiago et Cristiano qui, déjà, inséraient leurs doigts sous leur chemise, à la hauteur des pistolets glissés dans leurs hauts-de-chausse. Le Jésuite devinait la tension chez ses compères et commençait à se demander si les gardes la sentaient aussi et ne se préparaient point à y répondre par quelque réaction violente.

Finalement, del Castillo cambra davantage le dos pour détourner un regard distrait sur la marchandise de Francisco et conclut, avant d'entraîner la soldatesque avec lui :

— Écrire pour perpétuer nom et gloire. Voilà une riche idée, *Fray*. Exprimez en gestes à votre jeune ami que j'y réfléchirai également pour moi-même[1].

Et l'attroupement disparut si vite à l'autre extrémité de la ruelle que le bazar à la hauteur de l'étal de Francisco, en dépit des pirates, des esclaves et des marchands voisins, parut soudain désert et quiet.

---

1. Quelques années plus tard (dès 1557 selon certains indices), Bernal Díaz del Castillo entreprit l'écriture d'une œuvre magistrale intitulée *Historia verdadera de la conquista de la Nueva España*, dans laquelle il relate son épopée comme témoin de l'exploration des côtes du Yucatán et de la conquête de l'empire aztèque.

INTERMEZZO

— Quel intérêt à nous raconter tout cela, monsieur ?

— Le contexte, Votre Seigneurie.

— Le contexte ?

— J'aimerais illustrer à Vos Grâces, juges et officiers de justice, l'époque à laquelle se déroulaient les actes qui sont reprochés aux accusés.

— Cela servira-t-il ce procès, monsieur, ou ne sont-ce que paroles pour endormir notre réflexion ?

— Je crois que chacune de Vos Seigneuries n'en percevra que mieux l'état des choses à ce moment-là, fort différent d'aujourd'hui.

— Fort bien. Néanmoins, vous relatez çà des faits pour lesquels vous n'étiez point présent. Il n'est ni dans l'intérêt de cette Cour ni dans celle des accusés d'ouïr des relations que vous ne…

— Oh, certes, Votre Seigneurie, j'entends fort vos réticences et c'est là que j'userai du privilège qui m'a été consenti.

— Privilège royal, messieurs, permettez-moi…

Le président vient d'étendre les mains de chaque côté de lui afin de se mieux imposer à ses subordonnés. Il poursuit:

— Au su de l'importance du présent procès, de sa complexité et des nombreuses actions qui y seront traitées, à cause des délicats aspects politiques qu'il revêt et étant donné l'apport particulier de la déposition du témoin actuel, le roi, par décret… (Il exhibe le vélin devant lui en posant un œil rapide sur le public:) … le roi, adonc, autorise la Cour à considérer recevables les dires du témoin actuel, *y inclus les informations provenant de sources tierces*. En clair, au bénéfice d'une meilleure intelligence de la présente cause, le témoin actuel — et lui seul! point les autres qui témoigneront par après…

Il lève un index et prononce le reste de sa sentence avec une intonation haussée afin d'en bien souligner l'importance:

— … le témoin actuel a toute autorité, *s'il en estime la pertinence*, de relater des faits pour lesquels il n'était point présent, *mais dont il est acertainé des sources*.

Le magistrat qui m'interrogeait l'instant d'avant incline la tête. Il reprend:

— Voilà qu'il est fort à propos de nous rappeler, monsieur le président, merci.

— Sans compter que l'exercice nous permettra de nous bien représenter l'environnement au milieu duquel évoluent les gueux des mers.

— Adonc, je reviens au témoin. Vous disiez, monsieur, avec ce récit dont vous nous abreuvez de détails, que vous tentiez de nous imprégner de l'atmosphère qui régnait à l'époque des faits.

— C'est bien cela, Votre Seigneurie.

— Par exemple ?

— Nous en étions toujours à l'époque des conquistadores. Bien sûr, l'empire aztèque n'était plus que poussière et la cathédrale de Mexico s'élevait déjà sur les ruines du temple de Huitzilopochtli, mais plus au midi, les montagnes résonnaient encore des pleurs des derniers Sapa Inca, et les partisans des feus Pizarro et Almagro continuaient de s'y entre-poignarder.

— Mais encore ?

— L'or et les richesses inimaginables de ces deux empires déferlaient à pleins galions dans les ports d'Espagne, remplissant les coffres de Charles Quint qui en usait, Vos Seigneuries, pour acheter ses privilèges auprès des princes d'Europe — notamment son titre d'empereur du Saint-Empire romain.

— Charles Quint n'avait-il point déjà abdiqué ?

— Non point, Votre Seigneurie. À l'âge où le pirate Cape-Rouge sévissait dans la mer des Antilhas, régnait toujours sur les Espagnes le misérable *don* Carlos, souverain ayant bafoué les prétentions de notre bon François Ier à briguer la couronne ceinte par Charlemagne.

— Attendez… François Ier était décédé depuis un moment. La France était alors sous le règne de… voyons… son petit-fils Charles IX…

— Point encore, Votre Seigneurie. Le fils de François Ier, Henri II, celui-là même que l'empereur avait humilié en le maintenant otage des années durant, trônait à Fontainebleau.

— Bien. Vous tenez donc à nous rappeler que l'Espagne était en guerre contre la France ?

— Voilà, Votre Seigneurie. Tout acte commis contre des intérêts de l'empire ne pouvait que servir la couronne de France.

— Un détail, toutefois, monsieur : vous nous parlez du capitaine Cape-Rouge, or ce procès vise le pirate Mange-Cœur.

— Votre Seigneurie a raison. Cependant, si l'honorable Cour veut bien accorder grâce et patience à la jactance du misérable témoin devant elle, Vos Grâces constateront que l'avènement de Mange-Cœur est intimement lié aux actions des hommes de Cape-Rouge.

— Très bien. Poursuivez.

2

D'Iríria, de son visage brossé de traits banals marqué de joliesse seulement autour des yeux, on disait qu'elle n'était ni vilaine ni plaisante à contempler. Onques celle-ci n'avait été considérée comme une jeune femme souriante, mais depuis la mort de sa fille Oüacálla, emportée par les fièvres des mois auparavant, rares étaient les fois où ses lèvres s'étaient entrouvertes. Quand elle exposait ses dents blanches, ce n'était point pour dispenser quelque gaîté, mais bien pour exprimer un ressentiment, siffler un ordre, grogner une mauvaiseté.

Iríria souffrait.

De l'absence de son enfant, de son hyménée politique avec le cacique François et d'observer, impuissante, son peuple se décimer sous les épidémies. Mais ce qui minait la jeune femme plus que tout était de ressentir comme une coulpe* le mal autour d'elle. Toutes ces épreuves qui frappaient les siens parce que Chemíjn, le vindicatif dieu des Kalinagos, n'approuvait point de voir Acaera sous la gouverne d'un sang-mêlé, d'un demi-blanc.

Du moins était-ce là le constat qu'en tirait Jali, le grand *bóyé* qui, de plus en plus, alliciait* des mécontents au sein même du village de Kairi, principale communauté de l'île. Des propos séditieux s'oyaient aussi en sourdine venant de Bálaou, le village sous la gouverne de l'*ouboutou* Mana — un fidèle du cacique —, de Márichi, aux mains du favori de François, le formidable Oualie, l'*ouboutou* unijambiste, mais surtout de Titiri, le village régi par la famille d'Iríria. Cette dernière était la sœur du trop fameux Hiroon, de sinistre mémoire, qui avait tenté de ravir le caciquat à François dans une lutte épique, de nombreuses années auparavant[1]. Ce ne fut qu'en liant le cousinage par ses épousailles avec Iríria que François, par sagesse, avait lié les deux familles, mettant ainsi fin aux rivalités qui risquaient de revenir ensanglanter son peuple.

Ces temps de paix semblaient révolus maintenant que la mort fauchait à dextre

---

1. Voir le tome 1 de la série: *L'Île de la Licorne*.

comme à senestre cette communauté supers-
titieuse. Les Kalinagos se figuraient victimes
de leurs démons païens, or, Vos Seigneuries,
nous qui sommes instruits de la Vraie Foi,
savons que Dieu seul était responsable de ce
grand fléau que, dans Son infinie sagesse, Il
avait estimé juste de leur bailler.

— Si le cacique François périt par tes
soins, ma reine, affirma Jali, Chemíjn sera
favorable à rétablir à la tête du caciquat la
descendance que, avec un nouveau souverain au sang pur, tu sauras engendrer, pour
autant qu'il s'agisse d'une fille qui, elle-
même, enfantera un fils.

Le *bóyé*, accroupi selon la coutume des
Naturels, tête dans les épaules ainsi qu'il
n'aurait point de cou, appuyait son bras
senestre sur ses cuisses, car il l'avait fort
tordu, relief d'une rossée que lui aurait baillée
jadis Mápoya, le démon cruel. D'aucuns
parlaient plutôt d'une diablerie bien humaine,
les *ouboutous* fidèles au cacique, par exemple,
qui se seraient eux-mêmes acharnés sur le
prêtre en guise de mécontentement pour
quelque allusion ayant déplu au souverain.
Qui saurait dire avec certaineté?

La rencontre se tenait sous le couvert
d'une *ajoupa** cachée au cœur de la forêt près

de Titiri. Des hommes sûrs montaient la garde tandis que trois prêtres et une dizaine de meneurs issus des quatre villages de l'île complotaient.

— Voilà qui est conforme à nos lois ancestrales, approuva un autre homme-médecine, qu'appuyaient ses confrères en hochant la tête.

— J'ai trop peur, rétorqua Iríria. Si j'assassine mon époux, je ne lui survivrai guère le temps que ses *ouboutous* fidèles, Oualie et Mana, n'orientent leurs soupçons sur moi. Dans le meilleur des cas, disons... trois clignements de paupières plus tard.

Personne ne songea à rire ; on savait trop que la souveraine disait vrai. Seul Jali osa proposer :

— Chemíjn te protégera.

— Le Chemíjn personnel du cacique est trop puissant. Et puis, il y a ce dieu français, là, j'oublie le nom, qui semble plus redoutable que n'importe quel de nos *zemís*.

— Petit Jésus, dit un *bóyé*.

— Celui-là, oui, acquiesça Iríria dans un soupir sonore. Il protège si fort ces Blancs que jamais Mápoya ne les bat lorsqu'ils se promènent seuls en forêt, que jamais la rivière ne se déborde lorsqu'ils en puisent l'eau directement dans les *coys*, que jamais ils ne…

— Leur magie est forte, nous le savons, coupa Jali, sinon nous parviendrions à endiguer l'épidémie qui extermine notre peuple. Toutefois, notre terre, Acaera, ne les saurait tolérer plus longtemps. Elle nous…

— Ni la terre des Taínos ni celle des Mexicas ou celle des Tupinambás, nulle terre jusqu'à présent ne fut d'un grand secours aux peuples qui la vénéraient. Nous ne pouvons compter que sur nous-mêmes, nos initiatives et notre courage.

— Voilà que tu blasphèmes, Baccámon! s'insurgea Jali en tournant une expression indignée vers le villageois qui venait d'intervenir.

La silhouette émaciée du prêtre, son visage blanchi de cendres et son crâne chauve discordèrent avec son vis-à-vis, mince, mais musculeux, la peau rougie de *couchieue*, des lignes de *nicolai* redessinant ses traits pour les rendre plus farouches. Baccámon portait les cheveux à la mode de la tribu, longs jusqu'aux reins, peignés vers l'arrière et rattachés dans le dos, des plumes de perroquet piquées dans un peigne d'os au sommet de sa tête. Il laissait pendre sur sa poitrine, retenu par des cordelettes de *maho* piquetées de perles, un large *caracoli* en carapace de tortue. Ainsi que tous les autres, il était nu, accroupi, les fesses appuyées sur les talons, son sexe ramené entre les cuisses pour prévenir qu'il pende à la vue de tous, ce qui aurait été inconvenant.

— Baccámon a raison en partie, tempéra un *bóyé* à la dextre de Jali afin d'éviter qu'un conflit n'éclatât à l'intérieur de la jeune formation rebelle. Si nous ne nous en remettons qu'à Acaera et à Chemíjn, nous périrons. Les hommes doivent démontrer aux dieux qu'ils méritent leur confiance et leur soutien. Voilà sans doute ce qui a nui aux autres peuples qui ont subi la défaite aux mains des Blancs.

Un voilier de *sisserous* passa en criant, brossant le ciel qu'on apercevait par l'ouverture de l'*ajoupa* des tons irisés de leur plumage. Lorsque le silence retomba, le troisième *bóyé* demanda :

— Quel moyen autre que la prière avonsnous de convaincre les dieux de notre mérite ? Il n'est point possible d'organiser un *caouynage* afin de nous attirer leurs faveurs à ce dessein, notre conjuration serait aussitôt mise au jour.

Jali se redressa lentement en invitant Iríria de la main; la jeune femme l'imita. L'homme-médecine extirpa un couteau de silex de la gaine qui pendait à sa taille par une cordelette. Il plaça la pointe sur le dessus de sa paume et y fit une mince entaille. Incontinent, un filet de sang s'en échappa pour goutter sur la terre humide en perles carminées. Le prêtre déclara:

— Une simple promesse, scellée ici même, entre nous, avec notre *nimoínalou**, suffira. Une promesse que nous lions à Acaera en laissant fuir sur elle les gouttes du seing* de notre pacte. Un engagement devant les dieux de débarrasser notre terre des étrangers qui la corrompent. Blancs et demi-blancs.

Baccámon se leva à son tour. D'une voix un peu incertaine, il interrogea les *bóyés*:

— Y compris mon petit-fils? Ce nouveau-né de ma fille Anahi?

Jali le dévisagea d'une mine à l'indifférence feinte.

— N'était-il point d'ores et déjà promis au sacrifice?

— Si fait, s'il était l'enfant de cet esclave espagnol que nous avons sacrifié. Mais tout porte à penser plutôt qu'il est celui de mon hôte, le jeune Lionel.

— Cet hôte a trahi à la fois ta confiance et sa promesse. Adonc, puisqu'il n'est plus digne de ton hospitalité, il te revient le droit de disposer de ton petit-fils à ta guise. Et ta promesse que nous lions aujourd'hui dans le sang est de débarrasser Acaera et ses îles voisines de tout ce qui n'est ni kalinago ni taíno.

— Certes. Mais ma fille…

— Les dieux demandent des sacrifices, Baccámon! coupa l'un des *bóyés* qui, ainsi que tous les autres, sorciers comme simples villageois, s'était relevé. Nous venons d'en témoigner. Ton petit-fils, notre cacique, ces pirates qui se sont liés à lui ainsi que leur progéniture s'il en est d'autre, tous, nous disons, seront massacrés.

— Et ceux à qui nous éviterons la mort, précisa Iríria qui venait de joindre l'écorchure de sa main à celle de Jali, serviront de victimes sacrificielles dans un grand *caouynage* où ils seront mangés à la gloire de nos dieux.

⚓

Ayaoüaracoüàarou. Cet étrange mot caribe signifie « terre élevée ainsi qu'un morne, une colline ». Puisque l'îlet, à dix lieues au nord d'Acaera, n'était qu'une petite éminence saillant de la mer, on l'avait ainsi surnommé. Le mot, difficile à prononcer pour des Blancs, avait été contracté en Ayaou par le pirate Cape-Rouge et ses hommes.

Cette terre minuscule qui surgissait des flots ainsi qu'une fleur s'ouvrait au milieu d'un abattis était un ancien volcan endormi depuis des siècles. La forêt en ayant recouvert les flancs, le mont regorgeait d'oiseaux et de gibier, et chantait de trois bons ruisseaux d'eau fraîche qu'alimentait un lac insondable au sommet du cône.

Une baie profonde permettait au galion des gueux des mers, l'*Ouragan*, de trouver refuge près de la terre. Il s'abritait derrière une avancée rocheuse qui agissait à titre de brise-lames naturel, un fond de pierrailles à vingt brasses. Non loin, on finissait d'assembler un môle de bois qui servirait aux allèges et autres embarcations de moindre tirant d'eau.

Plusieurs pirates vivaient encore sous des abris de fortune tandis qu'ils étaient à abattre les arbres voisins de la plage à l'orée de laquelle ils bâtissaient leur futur village. Rares encore étaient les bâtiments qu'on pouvait qualifier véritablement de «maisons».

— Holà, Poing-de-Fer! Va bailler quelques coups de pied à ces drôles, là-bas, près des chicots. M'est avis qu'ils ne se donnent point trop de peine à suer tandis que le chantier ralentit plus loin par défaut de bois. Je veux ma maison parée dans trois jours, sinon je connais quelques cagnards* qui goûteront l'anguillade.

Cape-Rouge revivait. Bien qu'il dormît toujours en sa cabine de l'*Ouragan*, il voyait fleurir les habitations sur l'îlet, éclore son havre, et cela l'aidait à oublier les mille fâcheries des derniers mois. Il entendait faire d'Ayaou la nouvelle Lilith, l'île sur laquelle il régnerait, seul et souverain, sans comptes à rendre à quelque nation, à quelque monarque que ce soit, disposant du droit de vie et de mort sur le moindre de ses sujets. Son royaume serait modeste, certes, mais il en serait le maître absolu, ainsi que les Henri II, Charles Quint et Marie Ire de ce monde[1]. Voilà ce à quoi aspirait le pirate le plus craint des Espagnols en ces îles du Pérou: non point tant à s'enrichir qu'à jouir de la prépotence*, qu'on le tînt en grand honneur, le louât,

---

1. En 1554, respectivement, roi de France, roi d'Espagne et reine d'Angleterre.

l'idolâtrât même, puisqu'il était ainsi fait qu'il préférait être premier en une petite île perdue que second à la cour de France, qu'il ne souhaitait avoir à répondre à quiconque au-dessus de lui, point même à Dieu ni au Diable, en qui il ne croyait mie de toute manière, ou si peu, enfin assurément point davantage qu'en tous ces démons indiens dont les fantômes peuplaient le Nouveau Monde. Et puisque le pouvoir s'acquiert, d'abord par la crainte, ensuite par le respect, et que le respect s'obtient lui-même par la fortune qu'on distribue, Cape-Rouge accumulait les richesses pour après quoi les prodiguer à ses hommes, cimentant ainsi leur fidélité.

En cette matière, par ailleurs, rares étaient ceux, même parmi les proches du pirate, qui connaissaient le lieu où était enfoui l'immense trésor récupéré du sac de Virgen-Santa-del-Mundo-Nuevo[1] et auquel s'étaient additionnées les diverses rapines qui avaient suivi. La fortune de Cape-Rouge était telle, murmurait-on — mais pouvait-on se fier aux rumeurs qui enflaient à chaque verre d'eau-de-vie? —, que le pirate aurait pu acheter

---

1. Voir le tome 3 de la série: *L'Emprise des cannibales*.

huit duchés en Espagne et envoyer Charles Quint mendier dans sa Flandre natale.

— Grenouille! Sang-Diou! Que lanternent ces vaunéants* sous ta houppe? N'ont-ils point appris à user d'un martel? Privation de guildive* s'ils ne s'activent mieux.

À Ayaou s'érigeait ainsi le nouveau royaume du capitaine Cape-Rouge, terre depuis laquelle le pirate entendait bien pousser plus avant ses forfaitures. Il ambitionnait de reprendre ses razzias contre les comptoirs et les colonies espagnols, non seulement pour les richesses à en soustraire, mais également pour le plaisir de piller, détruire, brûler, imposer le symbole de sa mante rouge et perpétuer la peur qu'on y associait.

Finalement, peut-être Cape-Rouge, au tréfonds de lui, pourchassait-il un rêve plus terrifiant encore que celui de semer la mort chez les hidalgos: peut-être prétendait-il à voir son nom surpasser en terreur celui qu'inspirait Lucifer lui-même.

INTERMEZZO

— Quel était le nombre d'hommes sous l'autorité de Cape-Rouge, à l'époque? Car vous n'étiez point de cet équipage?

— En effet, Votre Seigneurie.

— Adonc, le savez-vous?

— Je ne saurais dire avec exactitude, quoique selon mon estime, ils étaient au moins trente, au plus quarante. J'ai ici sous la main une liste de ses compagnons les plus fidèles. Hormis les Lionel, Santiago, Jésuite, N'A-Qu'Un-Œil, etc., que nous connaissons déjà, c'est-à-dire une quinzaine d'hommes très dévoués à leur capitaine, on retrouvait aussi entre vingt et vingt-cinq matelots espagnols acquis de l'équipage de la *San Pedro*.

— D'où provenait ce navire?

— Il s'agissait de la caravelle négrière dont les pirates s'étaient rendus maîtres après la tentative d'invasion d'Acaera par le *capitán* Luis Melitón de Navascués, des semaines plus tôt.

— Ces matelots espagnols avaient viré capot?

— Les pirates ne leur avaient guère consenti choix, Votre Seigneurie. Ou ils acceptaient de servir et méritaient de la sorte une part des immenses rapines promises, ou ils périssaient par l'épée sans autre forme de procès.

— Fut-ce de bonne grâce qu'ils accédèrent à leur nouveau rôle?

— Point au début, Votre Seigneurie. Surtout quand ils avaient à larronner quelque navire de Castille ou à trucider un équipage de compatriotes. Toutefois, s'il leur fallait gueuser contre des Portugais, le cœur y était davantage et ils apprenaient à se plaire dans leur nouveau rôle. D'autant plus que leur fortune enfla avec des proportions auxquelles ils ne s'attendaient point.

Un juge à la barbe aussi frisée que sa perruque s'interpose en plaçant une main sur l'avant-bras de son collègue.

— Sont-ce là informations bien pertinentes? demande-t-il. Si nous nous arrêtons à ces détails, nous en serons encore là à la Résurrection des morts.

— Aimeriez-vous, maître Dalmeras, que nous interrompions les procédures et en discutions en privé?

— Qu'en pensent nos collègues? s'informe le juge en girant à demi le corps vers ses pairs.

— Il m'en chaut mie de poursuivre ou non, dit l'un.

— Moi, j'élirais de laisser cet homme user de son privilège royal et de nous narrer ce qu'il estime pertinent. Du moins, pour l'instant.

— Vous êtes d'accord, maître Labergère?

— Si fait.

Le juge à la barbe frisée fait une moue pour signifier sa capitulation. Il hausse les épaules en lançant:

— Poursuivons, alors.

Le magistrat qui me questionne depuis le début revient à la charge.

— Et les cannibales de l'île voisine?

— Plaît-il?

— Étaient-ils nombreux eux aussi?

— Je ne sais, Votre Seigneurie. Plusieurs milliers, à n'en point douter. En quelques mois cependant, leur population chuta de moitié, des deux tiers, peut-être, décimée par les épidémies.

— Épidémie de quoi? La peste?

— Non point… enfin, il y avait bien des cas de *vomito negro*, ce vomi noirâtre qui précède la mort du malade, mais il n'apparaissait point que l'infestation eut la virulence que l'Europe a connue en circonstances semblables[1]. Les maux qui touchaient les Indiens étaient les usuels : catarrhe, petite vérole, flux de ventre, rougeole, froid de poitrine... Toutefois, au lieu d'en guérir comme nous autres après s'être alités un moment, ils en mouraient ainsi qu'on fauche les blés.

— Punition du Bon Dieu pour leurs péchés mortels. À manger de la chair humaine, forcément... Et chez les pirates ? Point de ces affections ?

— Les mêmes, Votre Seigneurie. Toutefois, ainsi que je le précisais, les Blancs en souffraient beaucoup moins. Sauf de cette *yaya*, le mal de Naples, qui accablait durement certains matelots. Et, curieusement, nous observions lors l'effet opposite : c'étaient les Indiens qui, lorsqu'ils en étaient atteints, y survivaient sans peine. On eût dit que le Bon Dieu et Chemíjn se livraient un combat,

---

1. On confondait alors les dernières étapes du syndrome de la fièvre jaune avec les symptômes de la peste. Il s'agit de deux affections tout à fait différentes, qui n'évoluent pas de la même manière et qui n'ont pas non plus le même degré de virulence.

tourmentant les adorateurs de l'autre avec des maladies auxquelles ils n'étaient point accoutumés. Voilà bien une rivalité qui peut dépasser les Hommes, celles de dieux qui se disputent par adeptes interposés.

— Si vous étiez devant un tribunal de l'Inquisition espagnole, monsieur, vous répondriez déjà d'une pareille affirmation. Vous frisez le blasphème. Il n'y a qu'un seul dieu : le Bon Dieu. Pensez autrement relève de l'idolâtrie.

— J'en demande mille pardons à Vos Seigneuries.

— Laissez là vos considérations théologiques et relatez à cette Cour les faits à votre connaissance.

— Je suis l'obligé de Vos Seigneuries. Pour la narration qui va suivre, j'ai appris les détails des années après leurs faits, au hasard d'une conversation banale. Je les tiens toutefois aussi vrais que l'Évangile puisque les Naturels qui me les ont rapportés étaient de respectables vieillards n'ayant de raison aucune de me trigauder*.

— Nous vous écoutons.

3

Deux Naturels qui pêchaient des crabes aperçurent l'embarcation. Les vagues la portaient avec douceur sur des sommets lactés, la berçant au gré d'une houle quiète. Il s'agissait de l'un de ces *canobes* qui permettent aux Blancs d'aborder les côtes, car leurs maisons qui vont sur l'eau demandent trop de profondeur. Les deux hommes s'en effrayèrent d'abord ; la présence des *noûbis** étrangers près d'une rive était rarement signe de se réjouir. Mais, ne découvrant de navire au loin, se figurant une barque vide, perdue, ils s'en approchèrent pour s'en saisir.

— Elles sont plus malléables que nos *piraguas* creusées dans des troncs de gommier, affirma l'un.

Les Naturels, toutefois, sursautèrent en découvrant au fond de la chaloupe un cadavre immergé à demi dans l'eau de mer. Grand, émacié, la tête enserrée dans une chemise improvisée en guise de coiffe, le naufragé était recoquillé sous l'ombre des bancs. Sa peau ridée était marquée de cloques et d'escarres, mais aussi d'échauboulures et de lésions que l'insolation seule ne pouvait justifier. Il arborait cette étrange caractéristique des Blancs : des cheveux sur les joues et autour de la bouche — appelés «barbe» —, gris ainsi que de la pierraille. Au milieu des poils s'entrevoyaient des lèvres pâles et crevassées, brûlées de soleil et de sel. Le bras senestre accusait un angle inusuel, ayant au certain été cassé.

En voulant jeter le cadavre par-dessus bord, les deux Amériquains sursautèrent de nouveau. Les paupières du naufragé venaient de s'ouvrir brusquement en posant sur les pêcheurs deux iris pâles, sans couleur, du même argentin sale que les cheveux, mais brillant ainsi que le reflet meurtrier d'un couteau.

Poussant un cri d'effroi, les Naturels l'abandonnèrent en fuyant, laissant le *canobe* venir de lui-même atterrir sur la plage. Lorsque, deux heures plus tard, ils revinrent accompagnés d'autres pêcheurs de leur village sis à une demi-lieue de là, l'embarcation était échouée au milieu du goémon. Le jusant avait libéré un large liséré de sable humide sur lequel le naufragé avait rampé à l'aide de son seul bras dextre pour venir s'abriter à l'ombre d'un sabal. Les traces de ses efforts balafraient la grève.

Les Amériquains furent saisis de pitié pour cette victime de la mer. L'homme fût-il blanc. S'avisant qu'il s'accrochait à la vie, ils lui apportèrent à boire puis à manger, mais n'osèrent point l'emmener en la bourgade. Ils élurent de le soigner sur la plage où ils l'avaient trouvé. Ils lui construisirent, à couvert des marées, un abri de branchages qui le prémunissait du soleil. Pendant les jours qui suivirent, ils l'alimentèrent en eau, en fruits, et même, à l'occasion, en viande de chien ou d'agouti. Un homme-médecine soigna son bras brisé mais, s'il parvint à lui redonner une certaine souplesse, ne put lui rendre son aspect naturel. La blessure datait de trop de temps déjà et les os s'étaient en partie ressoudés selon cette obliquité curieuse vers l'arrière.

Chaque matin trouvait le naufragé en meilleure santé que la veille. Les Naturels ne le craignaient plus et le venaient visiter journellement. Toutefois, jamais, aucun aboutchement ne s'établit véritablement entre eux et lui. Le rescapé leur fut-il reconnaissant, en aucun temps il ne le démontra, acceptant comme un dû l'eau et la nourriture qu'on lui baillait, sans sourire, sans manifester quelque signe de gratitude que ce fût. Certes, il y avait la barrière de la langue, mais surtout un mur invisible, une cloison impénétrable que le Blanc avait érigée. On le crut d'abord muet jusqu'au jour où on le surprit, à genoux, face à une croix improvisée, psalmodiant des prières en son dialecte étranger. Il ne s'intéressait point aux femmes qui le venaient aguicher, les enfants l'importunaient.

Une veuve du village, vieille, un peu demeurée, plus empathique aussi, embéguinée à n'en point douter, lui tenait compagnie des heures durant, silencieuse, dévouée, complaisante, assise à l'écart, toujours sur la même souche, attendant qu'il exprimât, par une grimace ou un simple regard, le besoin de boire, celui de manger.

Deux lunes après l'arrivée de cet étranger solitaire et taciturne, tandis que le village voisin s'était habitué à sa présence tranquille, un matin, la veuve trouva la plage déserte. Au large, elle aperçut le *canobe* onduler sur des vagues molles qu'agitait avec peine une brise trop languide. Sur la ligne d'horizon, ses ailes blanches déployées, mais faseyant, une *piragua* géante était encalminée.

Le naufragé blanc avait compris que, en souquant ferme, il la pouvait rejoindre.

⚓

— Chaloupe à tribord !

Le capitaine Gutiérrez traîna sa panse de boit-sans-soif jusqu'à la lisse du château de poupe. À travers les brumes de l'alcool absorbé la veille et qui lui embarbouillait encore l'esprit, il repéra l'esquif. Point une pirogue indienne ainsi qu'il l'avait d'abord craint, mais un vrai youyou bâti par des chrétiens.

— Y a qu'un seul homme à bord, lança un homme de vigie du haut de la grand-hune.

— D'où sort c'te graine de chiourme* ? grogna Gutiérrez. (Puis, d'un ton plus haut, ordonna :) Accueillez-le à bord !

Deux hommes, agrippés aux tire-veilles de l'échelle de coupée, crochèrent la préceinte de la chaloupe pour la maintenir contre la coque de leur caraque. L'étranger qu'ils accueillirent ne les salua point ni ne leur démontra quelque obligation que ce soit. Les regardant à peine, il s'engagea par-devant eux sur les échelons et grimpa à bord.

— Qui est capitaine, ici ? demanda-t-il d'une voix à la raucité naturelle, mais au graillonnement accru par les semaines sans parler.

— J'ai ce privilège, répliqua Gutiérrez en descendant lentement l'escalier de la dunette, une main sur le garde-fou — non tant par prestance que par crainte de perdre pied à cause de cette ribote de la veille. À qui ai-je l'honneur ?

— *Capitán* Luis Melitón de Navascués, officier de Sa Majesté, commandant de l'*Inquisición*, galion de Sa Grâce le juge de l'*Audiencia* de Mexico, *don* García de Orduña, répondit le naufragé dont la substantifique autorité agit incontinent sur l'équipage. Notre expédition a été ruinée par les pirates français. Où cinglez-vous donc, capitaine ?

— À Cu... Cuba, *capitán*, balbutia Gutiérrez, troublé par les yeux d'acier fixés sur lui.

De Navascués, chemise et haut-de-chausse en lambeaux, mais ajustés au mieux dans les circonstances, sa rapière pendant au côté dans son fourreau mangé de sel, délaissa le capitaine pour promener sur l'équipage un regard empli de morgue et de fortitude. Après un moment qui parut interminable, il revint poser ses pupilles de fer sur Gutiérrez et répliqua :

— Fort bien. J'y trouverai sans doute à m'embarquer sur un autre navire en direction de la *Tierra Firme*, sinon, capitaine, au nom de l'*Audiencia* et du vice-roi de la Nouvelle-Espagne, vous aurez à me conduire jusqu'à quelque port dont les routes mènent à Mexico.

Près de trois mois après qu'il eut quitté Campêche et qu'un brûlot, un navire bourré d'explosifs, conçu par Cape-Rouge eut réduit à néant le galion de *don* García de Orduña et sur lequel il commandait les troupes armées du *duque* de Girasoles, le *capitán* de Navascués remettait les pieds sur la *Tierra Firme*. Il abordait à Vera Cruz, un port donnant sur le golfe de Nouvelle-Espagne et dont les routes fort fréquentées joignaient celles de Mexico.

À Santiago de Cuba, il avait trouvé prêteur, ce qui lui avait permis de se vêtir convenablement avec chemise, pourpoint et manteau, le temps de voyager jusqu'à la capitale de la vice-royauté. Là, il entendait bien retrouver, en cette auberge où il avait logé, sa malle dans laquelle il gardait un uniforme de rechange de même que quelque habit civil moins à la mode, mais plus sobre. Il eût bien aimé pouvoir se doter d'un cheval, mais la confiance du prêteur avait ses limites et il avait dû se contenter d'une paire de bottes éperonnées qui, à défaut de galoper, lui permettraient de marcher sans se faire dévorer les pieds par les puces ou pis, mordre par les serpents.

— Je cherche à me joindre à une caravane de marchands en direction de la capitale.

Le muletier observa la mine farouche de de Navascués, son port altier, cette autorité qui sourdait de chaque pore de sa peau, mais surtout, ses yeux, ces iris gris effrayants qui tiraient un frisson de quiconque les croisait du regard. Même la longue rapière à son flanc, que le muletier désigna de l'index, semblait moins funeste.

— Votre Excellence est hidalgo ? demanda-t-il. Ne préférerait-elle point se joindre à quelque troupe qui fait le trajet régulièrement ?

— Je préfère la compagnie des ânes, répliqua le *capitán* sans préciser à qui, des bêtes ou des caravaniers, il faisait référence.

Le muletier passa une main sur son crâne nu qu'ébarouissait* un soleil implacable puis, feignant de s'intéresser à une balle de coton sur l'étal, car le regard de de Navascués l'indisposait, lâcha :

— Soit. Une épée comme celle de Votre Excellence est toujours la bienvenue sur ces chemins où vernuchent* Sauvages et vagabonds. Je peux m'informer et si Votre Excellence veut bien revenir demain, à la même heure, je l'orienterai vers la prochaine troupe de gens en partance pour les hauts plateaux.

— À demain, donc.

Le *capitán* abandonna le marchand derrière lui pour retourner vers le môle. De l'autre côté du bras de mer, il pouvait contempler l'île San Juan de Ulúa, le clocher lointain de son église, et les nombreux galions, caravelles, brigantins, frégates et flûtes qui houaient les eaux de leur taille-mer en lisérés écumants. Il faut préciser, Vos Seigneuries, que, à cette époque, n'avaient point encore été érigées les fortifications qui protègent l'entrée de la rade et ne laissent aux navires, aujourd'hui, qu'un étroit passage appelé Canal del Norte. Toutefois, depuis sa fondation par Hernán Cortés, trente-cinq ans plus tôt, Villa Rica de la Vera Cruz s'était quand même déjà muée en un port de premier plan pour le transport des biens à l'intérieur des terres du Nouveau Monde.

Tandis qu'il observait des pourceaux* de mer fleureter avec les coques des vaisseaux, de Navascués nota du coin de l'œil qu'un alguazil du port le dévisageait à quinze pas. Loin de s'en détourner pour éviter quelque question gênante, lui qui, pourtant, pour cette même raison, avait élu de voyager au sein d'une caravane de marchands plutôt que d'une compagnie de soldats, il s'avança vers l'officier.

— Eh bien, sergent? demanda-t-il avec cette morgue qui lui était coutumière et qui en imposait toujours. Voilà cinq bonnes minutes que vous me détaillez du chapeau au bout des bottes; je présume que votre examen est terminé. Que puis-je pour votre gouverne?

C'était bien là manière d'hidalgo, figurant leur honneur constamment menacé, ne souffrant la moindre provocation — ou semblance d'affront — sans ressentir incontinent le soufflet qui mène au duel.

L'alguazil, chapeau à larges bords relevé sur le front, s'efforça de déglutir le plus discrètement possible, mais ne put s'empêcher de placer la main dextre sur le pommeau de son estramaçon*. Il répliqua:

— Puis-je connaître votre nom, monsieur? N'ai-je point l'honneur de croiser le *capitán* Luis Melitón de Navascués, maître un temps du préside de Virgen-Santa-del-Mundo-Nuevo?

— Du *regretté* préside, sergent. En effet, c'est bien moi. Vous ai-je eu sous mes ordres?

— Vous teniez vos hommes en si peu d'estime, *capitán*, que vous ne me replacez point?

De Navascués serra les dents sous le ton par trop frondeur à son goût d'un homme qui avait — supposément — servi sous son commandement.

— Plaît-il, sergent?

— J'étais simple *cabo* dans cette expédition que vous entreprîtes à la cité d'or, cette chimère de votre esprit qui devait nous apporter à tous du bien et de l'honneur. De biens, je n'ai obtenu que fièvres et blessures, *capitán*, d'honneurs, j'ai massacré des familles indiennes et, à notre retour au préside détruit par les pirates, je me suis ensauvé de vos affabulations; j'ai suivi les esclaves américains et les quelques soldats survivants.

D'honneurs, oui, j'ai fui pour m'éloigner au plus tôt et au plus loin du fou que vous êtes[1].

— ¡ Pardiez ! Sergent ! s'exclama de Navascués en cherchant à son tour le pommeau de sa rapière. Vous êtes un déserteur !

— Et vous, un traître ! clama l'alguazil qui fut le plus prompt à dégainer.

Il appuya la pointe de sa lame contre la gorge du *capitán* et cria :

— À moi, la garde ! ¡ Soldados !

De Navascués recula d'une semelle, s'ingéniant à échapper à la pointe de l'arme qui lui piquait le cou, mais l'alguazil reprit incontinent l'espace perdu, bien décidé à ne s'en point laisser imposer. Les yeux du *capitán* flamboyèrent plus que jamais, leur éclat semblant croiser le fer avec l'estramaçon de l'agent.

— Vous levez l'épée sur un supérieur, sergent ?

— Une ordonnance vice-royale m'y autorise, *capitán*. Peut-être l'ignoriez-vous, mais depuis des semaines, le complot visant à renverser l'autorité de Son Excellence Luis de Velasco y Ruiz de Alarcón est de notoriété

----

1. Voir le tome 3 de la série : *L'Emprise des cannibales*.

publique. Votre commanditaire, le juge García de Orduña, est aux oubliettes.

L'officier ne put empêcher ses paupières de battre follement devant ses iris gris. De surprise, son bras, que le sergent trouvait curieusement arqué vers l'arrière, soubresauta de manière insolite, battant contre son flanc.

— Que dites-vous ? Le seigneur de Orduña, arrêté ?

L'alguazil parut gagner en assurance lorsqu'il constata la présence de deux autres gardes qui arrivaient, lame au clair, pour lui prêter main-forte. Il ajouta :

— Ainsi que votre personne, *capitán*. Veuillez me remettre votre épée, je vous prie. Vous êtes inculpé de haute trahison.

— *¡ Pardiez !*

Soulevant ce bras arqué qui, dans un mouvement trop subtil pour que le sergent l'eût remarqué, s'était enveloppé dans un pan de manteau afin de s'en improviser un bouclier, le *capitán* repoussa la lame de l'estramaçon. Il profita du mouvement pour, avec son autre main, tirer sa rapière de son fourreau et engager la lame en tierce, une garde qu'il affectionnait.

— Il ne sera point dit que *don* Luis Melitón de Navascués se sera rendu sans combattre.

Le sergent, surpris, recula à son tour et tenta de ramener l'engagement en quarte, mais dut se contenter de dévier la pointe qui visait de trop près sa broigne à la hauteur du cœur. Il se félicita de l'arrivée des deux autres alguazils dont il perçut les silhouettes de chaque côté de lui, ce qui lui donna le courage pour tenter un coup d'estoc. Cependant, désavantagé par la courte portée de sa lame face à la rapière de son adversaire, il dut rompre de nouveau. La réplique foudroyante du *capitán* — dont le regard farouche ne démentait point l'ardeur qu'il mettait au combat — le brusqua. Il sentit moins comme une douleur que comme un inconfort la coudée d'acier qui le transperça d'outre en outre.

— Voilà ton honneur rétabli, grinça de Navascués tandis que le sergent s'écroulait. Tu meurs au combat. À vous, messieurs, fit-il, sans condescendance en s'adressant aux deux autres sergents qui se figèrent une seconde de voir leur camarade tomber.

Les trois combattants s'observèrent un moment, chacun inférant sans ambages que les alguazils, armés, l'un, d'une épée de

mauvaise qualité, l'autre, d'un vulgaire braquemart, se trouvaient fort desservis devant
la longue rapière de Tolède qui leur faisait
face. Sans se consulter, les deux gardes optèrent pour une attaque de concert ; ils frappèrent, le premier d'estoc, le second de taille.

Le *capitán* usa de sa lame pour dégager
l'assaut à dextre et esquiva le senestre en
concédant une fâcheuse taillade dans son
manteau neuf enroulé autour de son bras.
Poursuivant sur sa parade et profitant du
mouvement qui avait obligé ses assaillants à
plier le corps vers l'avant, il éloigna le braquemart d'une rapide giration du poignet et
planta la pointe de son fer dans la gorge de
l'attaquant. L'homme s'effondra dans un cri
vite étouffé par le sang qui envahissait ses
voies respiratoires.

De Navascués recula d'une semelle pour
reprendre son souffle, conservant le tronc
droit, la jambe senestre en arrière, le corps
appuyé sur la dextre, dans une position
classique. Son adversaire l'imita, non sans
jeter de brefs regards autour de lui, aspirant
se voir assister de renforts. Mais aucun autre
alguazil n'était en vue ; seuls des marins et
des marchands du port, attirés par le spectacle, commençaient de s'approcher pour

mieux observer. Quelques cris d'encourage-
ment même montaient de l'attroupement,
certains pour les forces de l'ordre, d'autres
pour l'excellent duelliste qui avait déjà cou-
ché deux adversaires.

— Ren… rendez-vous, *capitán*, balbutia
le sergent qui sentait la sueur perler sous son
feutre. C'est sans issue pour vous.

— Pour tes dernières paroles, répliqua de
Navascués, il t'aurait mieux valu faire une
prière.

Il engagea avec une telle célérité que le
sergent rompit en faisant un bond, son bras
senestre plié à la hauteur du visage, son épée
pointée au jugé devant lui. Mais puisque
l'alguazil ne bénéficiait point de la portée de
frappe, sa lame était toujours à bonne distance de son adversaire quand la rapière de
ce dernier trouva son thorax.

Le soldat tomba d'abord sur les genoux,
surpris que la douleur se fît plus forte au
moment où le fer se retirait de sa poitrine que
lorsqu'il s'y engagea. Il voulut parler, mais
ses poumons, vidés, refusaient de regonfler.
Il ouït son épée heurter le pavé de bois sans
se rappeler avoir ouvert la main. Il s'affaissa
lentement en penchant le tronc par-devant,
donnant l'impression qu'il heurterait le sol

de son front. Mais, peu à peu, il obliqua du côté de la blessure comme si le flot de sang entraînait le reste du corps avec lui.

Le *capitán* n'attendit point qu'il fût complètement mort pour fendre la foule de badauds qui s'ouvrait devant lui ainsi qu'une vague sous le taille-mer. Il venait de repérer, près du commerce d'un forgeron voisin, un palefrenier qui menait par le bridon le cheval dessellé de son maître. Bousculant le garçon qui tardait à abandonner son devoir, de Navascués sauta sur l'animal en serrant davantage les cuisses pour compenser l'absence de selle. Il tira sur les rênes pour engager la bête vers une rue qui s'éloignait du port et, les éperons plantés dans ses flancs, l'entraîna dans un galop déchaîné.

Ce fut loin du môle, tandis qu'il avait longé les murs de la ville et qu'il chevauchait déjà sur les pistes menant vers l'intérieur des terres, qu'il nota que sa monture boitait.

INTERMEZZO

— C'est de la sorte que cet officier de l'armée espagnole atteignit Mexico?

— Si fait, Votre Seigneurie. Cela lui demanda, au certain, quelques jours, mais il parvint à se faufiler sans mal entre les pillards et les Indiens qui, souventes fois, s'en prenaient aux aventuriers sur les pistes des hauts plateaux.

— Comment le savez-vous? Je veux dire: comment pouvez-vous être acertainé de la façon dont l'officier espagnol a été accueilli à son retour en Nouvelle-Espagne?

— Les écrits du capitaine Mange-Cœur sont fort prolixes à ce sujet. J'ignore toutefois de qui il tenait les informations. Un ancien soldat espagnol, peut-être, un marchand, un marin… Nombreux sont les proches du pouvoir en Nouvelle-Espagne à avoir croisé l'un ou l'autre des membres de nos différents équipages. Votre Seigneurie pourra toujours s'informer du détail lors de la déposition du capitaine lui-même.

— Bon. Laissons là un moment cette… victime des complots des *encomenderos* et revenons à l'équipage dont vous nous entretîntes plus tôt. Ces hommes de Cape-Rouge, ce Santiago, ce Jésuite et ce Lionel qui s'en allèrent vendre des esclaves à Nombre de Dios. Qu'advint-il d'eux?

— Ils s'étaient affranchis de leur marchandise avec un profit beaucoup plus important qu'attendu et, satisfaits, avaient repris la mer. Leur capitaine les attendait sur l'île d'Ayaou, au large d'Acaera, l'île de la Licorne.

— Avaient-ils été partis longtemps?

— Je l'ignore, mais quelques semaines, au certain. Ils retrouvèrent leur monde en pleine effervescence, Cape-Rouge installé déjà dans ses nouveaux quartiers: une petite maison proprette bâtie à chaux et à sable et qui dominait la rade.

— C'est là qu'entre en scène Mange-Cœur?

— Oh, Grand Dieu, non, Votre Seigneurie! Bien plus tard.

— Mais où diable opérait ce forban pendant tout ce temps?

— Si Vos Seigneuries me le permettent, laissez-moi d'abord vous narrer comment

Cape-Rouge envisagea de faire miroiter à ses gens des profits si démesurés qu'aucun des paillards et des bélîtres* d'origine espagnole qui lui avaient prêté allégeance n'aurait songé une seconde à faire dissidence.

— D'accord, mais Mange-Cœur…

— Pour bien comprendre ce qui mena à la naissance de Mange-Cœur, Vos Seigneuries, il est primordial de suivre pas à pas le récit ainsi que je le relate. Persistez en votre longanimité à mon égard et vous ne vous repentirez point de ces détails que je vous impose.

4

Lionel commençait à comprendre Mana : oui, la mer était plaisante, mais rien n'équivalait en ravissement à retrouver celle qu'on aime après des semaines d'absence. Anahi lui parut plus belle, plus saine, plus gaillarde que jamais. Elle l'accueillit au milieu de tous les autres insulaires d'Ayaou, non point vêtue à l'indienne, c'est-à-dire nue hormis ce *nioüaicouli*, un carré de gossapin large d'une aune porté par les épousées à hauteur des vergognes*, mais bien engoncée dans une petite robe espagnole, acquise dans la malle d'une victime d'abordage, une robe ivoirine ornée de lisérés lilas dont les teintes rehaussaient le cuivré de sa peau et dont la coupe galbait l'étroitesse de sa taille — qui, merci à l'élasticité de la jeunesse, avait repris son arcure élancée et ferme depuis la naissance de son enfant.

— Lionel ! Mon époux ! Comme te voilà changé en ces quelques semaines seulement que nous nous sommes vus. Voici que tu arbores mêmement ces cheveux dans le visage qui distinguent les hommes de ta race.

Le jeune marin éclata de rire en accueillant sa femme contre lui. Elle l'entoura de son bras dextre seulement, le senestre retenant son fils de deux mois sur son épaule. Lionel n'accorda à l'enfant que l'intérêt nécessaire pour masquer aux autres ce que lui seul et son épouse savaient de caractère certain : le petiot n'était point sien. Par amour pour Anahi, pour éponger la détresse qui brisait la jeune fille face à la perspective de perdre son enfant — au bénéfice des dieux qui, à travers les traditions ancestrales, réclamaient son sacrifice —, Lionel avait affirmé avoir manqué à l'honneur et trahi la promesse faite à Baccámon, son beau-père. Il prétendait avoir usurpé le droit de cuissage que son hôte kalinago avait accordé à son esclave espagnol et consommé lui-même la virginité de l'adolescente[1].

Mais il n'en était rien. Le premier-né de Lionel et d'Anahi, Gédéon, était bel et bien fils du *teniente* Joaquín Rato, le pire rival du jeune pirate du temps où les deux hommes convoitaient l'amour d'Anahi. Le prisonnier

---

1. Voir le tome 4 de la série : *Les Armes du vice-roi*.

espagnol ne pouvait guère jouir de cette victoire, ayant été sacrifié et mangé depuis. Lionel, d'ailleurs, des mois après les événements, savourait encore sur sa langue le goût de la chair du vaincu et, ainsi qu'un trophée, portait autour de son cou le collier fabriqué de ses dents.

— Il a grandi, s'en tint-il à constater.

— N'est-ce point ? répliqua l'adolescente, exhibant le poupon en ses langes avec la fierté de toute mère. Il prend de plus en plus les traits de ses origines caraïbes. Vois comme il imite Baccámon, mon père, lorsqu'il fronce les yeux de la sorte. Vois cette bouche qui prend la forme de celle de la douce Banna, ta belle-mère. Vois…

Elle omettait à dessein de décrire les traits qui pourraient par trop rappeler la figure du *teniente* : cette ligne de nez déjà par trop bourbonien, ce modelé des joues, ce menton volontaire… Lionel faisait celui qui ne remarquait mie, jouant le jeu du père émerveillé, exauçant Anahi, leurrant ses comparses pirates, son capitaine, surtout, qu'il avait fort déçu un temps, devant qui il s'était affranchi par un acte de bravoure, mais pour qui, désormais, il entretenait des sentiments mitigés, à la fois de respect, de crainte... et de dégoût. Pour l'amour d'Anahi, Lionel s'obligeait, sinon à aimer, du moins à tolérer l'enfant d'un autre et à l'affirmer sien.

Pour l'amour d'Anahi.

— Ho! Bec-de-flûte! Tu gardes la lune des loups?

Nazareno, dont le bec-de-lièvre et les talents de flûtiste lui avaient valu ce nouveau surnom, détourna les yeux des amoureux que, à vingt pas, il observait à la dérobée. N'A-Qu'Un-Œil, de sa large paume, se saisit de lui à la nuque en une prise à la fois forte et affectueuse.

— Hein? Qu'as-tu à t'acagnarder tandis qu'il y a tant à faire?

— *Lionel y Anahi*, répliqua le garçon, *tanto guapos.*

— Beaux?

Le second de Cape-Rouge observa le jeune couple, taille enserrée dans le bras de l'autre, s'éloigner vers un monde qui n'appartient qu'à ceux dont les rêves n'ont point encore été soufflés par les infortunes des siècles.

— Dis-moi, Bec-de-flûte, tu as déjà connu une garce? *¿Tú con una chica?*

Nazareno regarda le bosco de son habituel air niais sans répliquer.

— Non, bien sûr, répondit pour lui-même N'A-Qu'Un-Œil en entraînant le garçon avec lui. C'est… Comment te dire? C'est merveilleux. Un moment. Un moment seulement. Après, la vie te rattrape. La fatalité, surtout. Crois-moi, ça vient toujours. Vaut mieux éviter, Nazareno. *Evitar*.

— *¿ Evitar chicas ?*

— Éviter de tomber amoureux.

— La vente des cinquante-quatre Nègres nous a rapporté près de trois mille ducats.

N'A-Qu'Un-Œil venait de déposer le coffret sur la table de la cabine de l'*Ouragan*, là où Cape-Rouge se sentait encore le plus à son aise.

— C'est une fortune! s'exclama le capitaine en se laissant aller contre le dossier de son fauteuil, sourcils froncés, mais yeux ronds, exprimant à la fois étonnement et satisfaction. Tout ça pour quelques esclaves?

— Avec le déclin des populations de Naturels, émit le Jésuite, les Espagnols manquent de main-d'œuvre. Les Nègres ne valent peut-être rien dans les mines d'argent, mais sur les terres à défricher… M'est avis que les *encomenderos* vont réclamer plus et plus d'Africains et que les prix vont encore enfler.

— Ce commerce va exploser !

— Un trésor noir.

Cape-Rouge posa un coude sur l'appui-bras de sa chaise, les doigts tapotant son menton. Il fixa tour à tour les hommes qu'il avait autorisés à pénétrer en son antre sacré : N'A-Qu'Un-Œil, son maître de navire, son bosco, Santiago et le Jésuite, tous deux rescapés des prisons espagnoles et devenus ses hommes de confiance, Urael, le farouche guerrier wayana qui entendait de mieux en mieux le français, et Lionel, son incorrigible, inconstant, mais courageux et intelligent marin, promis à un grand avenir. Le capitaine était vêtu d'une chemise dont la toile vulgaire ne dépareillait point de celle du dernier de ses gabiers, mais qui avait été lavée. Un bouton d'ailleurs manquait à hauteur de nombril, signe d'un essangeage* par trop rigoureux. De sa main restée sur la table, il pinçait entre le pouce et l'index le pont de ses bésicles qu'il venait de retirer de son nez.

— Un trésor, répéta-t-il d'une voix rêveuse.
(Puis, plus fermement, en se redressant :) Il
me vient une idée !

Les hommes, inconsciemment, firent tous
un pas vers la table, trahissant leur intérêt
tout en se conférant une manière de bien-
fondé face à la confidence qui s'ensuivrait.
Cape-Rouge dit :

— Je ne veux point entreprendre de razzias trop importantes contre les Espagnols
avant qu'Ayaou soit bien établie. J'ai déjà
plus de monde qu'il me faut pour bâtir et je
verrais d'un très bon œil de me débarrasser
quelque temps d'une vingtaine parmi les
derniers Espagnols enrôlés. Plusieurs Kalinagos qui prennent goût à la mer ont besoin
d'acquérir de l'expérience. N'A-Qu'Un-Œil,
il y a longtemps que je cherche l'occasion de
t'attirer du mérite autrement qu'en trucidant
du castillan. Aimerais-tu une promotion de
capitaine ?

— De ca… capi ?…

— Je ne te parle point ici de me remplacer ainsi que tu l'as fait à l'occasion autour
des Îles, mais bien de mener un navire par-
delà la mer océane et de le ramener. Je ne
t'accompagne point. Te sens-tu digne de cette
confiance ?

— Palsambleu, capitaine! Et comment donc! Surtout depuis l'abordage de la *Guadalupe* où mes compétences ont semé un doute dans votre esprit, je ne rêve que d'une occasion de vous prouver ma valeur.

— Fort bien.

Le bosco se gratta l'occiput en prenant un air embarrassé. Il confessa:

— Toutefois, je ne sais point lire un portulan, capitaine, ni trop user d'un bâton de Jacob, il me faudrait un pilote…

— Je peux m'acquitter de cette tâche, proposa le Jésuite qui avait croisé les bras sur sa poitrine, emprisonnant le poignard-crucifix pendu à son cou.

Cape-Rouge agita un doigt devant le moine pour décliner l'offre. Il expliqua:

— Nos catholiques de l'île ont besoin d'un prêtre pour leur chanter la messe de temps en temps…

— Fût-il défroqué et excommunié, hé, hé! précisa Santiago avec son ricanement coutumier qui, cette fois, ne parut point forgé.

— Fût-il défroqué et excommunié, approuva Cape-Rouge en levant une main pour défendre les deux hommes de se harper* comme des enfants. De toute façon, avec ces papistes, l'habit fait le moine.

Le capitaine posa ses yeux empreints d'autorité sur Lionel. Ce dernier se grugeait la peau autour des ongles quand il aperçut tous les visages tournés vers lui ; il figea ses doigts contre ses lèvres.

— Lionel, non seulement peux-tu lire, mais tu as également notions d'astronomie, si ?

— Ce que le Jésuite m'a enseigné, capitaine.

— Boussole, compas, quartier de réduction...

— Je peux en user.

— Quadrant, rhumb...

— Je les conçois fort bien.

— Alors voilà ! conclut Cape-Rouge en revenant vers son bosco. Tu as ton pilote.

N'A-Qu'Un-Œil et Lionel s'adressèrent un regard silencieux mâtiné de fierté et d'appréhension. Cape-Rouge ne leur accorda point loisir d'échanger plus pour l'instant. Il reprit :

— Avec la caravelle, la *San Pedro*, nos hommes pourraient contracter compétences et métier en s'acquittant d'une mission profitable à nos goussets : gagner les côtes africaines, y faire le plein d'esclaves et revenir les monnayer à fort prix dans les ports espagnols du Nouveau Monde.

— On va devenir fournisseur officiel de Sa Majesté l'empereur? ricassa le Jésuite.

— En attendant de réduire leurs colonies en cendres, hé, hé! répliqua Santiago.

— Voilà qui me convient tout à fait, approuva N'A-Qu'Un-Œil dans un élan d'enthousiasme qui fit bomber son torse déjà fort volumineux. Votre confiance ne sera point déçue, capitaine.

— Bien. Je vois que mon idée plaît à tous, se réjouit Cape-Rouge. À toi aussi, Lionel?

— Certainement, capitaine. Merci, capitaine.

— À la bonne heure! Voyons maintenant de quels vents vous pourriez tirer parti…

Replaçant les bésicles sur son nez, Cape-Rouge se leva pour atteindre de son autre main un parchemin enroulé sur un pivot de bois. Le dévidant, il exposa un large portulan sur lequel on reconnaissait les côtes du Vieux et du Nouveau Monde. Aux enluminures et aux armes y peintes, on reconnaissait une œuvre fort élaborée destinée moins à la navigation qu'à être offerte en présent à un souverain. Les termes portugais trahissaient à quel roi ledit présent avait été soustrait.

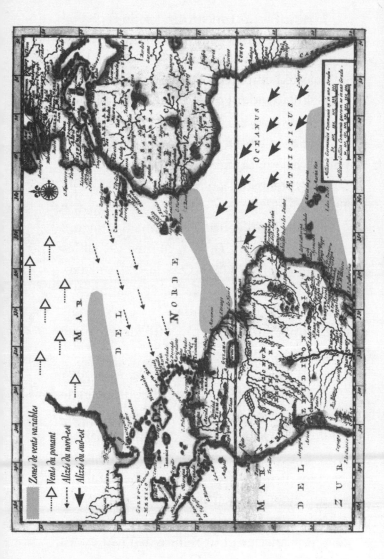

Posé sur le document, l'index du capitaine parcourait le trajet qu'il entendait proposer à ses hommes.

— Acaera et Ayaou se trouvent ici, *grosso modo*, à l'est de cet archipel. Les alizés vous sont contraires, car, à cette latitude, ils soufflent du nord-est. Deux options sont possibles : par le midi en longeant les côtes du Brésil, ou le septentrion, en pougeant* jusqu'à la Terre Fleurie.

— La Terre Fleurie ? s'étonna Santiago.

— Ou la *Tierra Florida*, comme disent les Espagnols, précisa N'A-Qu'Un-Œil, les deux mains appuyées sur la table, sa pupille unique fixée sur le portulan. Je ne la connais que trop bien pour m'y être déjà trouvé naufragé.

— Il s'agit de cette péninsule, approuva Cape-Rouge, son gros doigt boudiné sur le plan. C'est la route que je vous recommande. De là commence une zone de vents variables. À vous d'en user au mieux pour remonter les côtes jusqu'au trente-cinquième parallèle, un peu avant, un peu après. Par la suite, vous pourrez attraper les vents du ponant, direction les Canaries pour refaire de l'eau et des provisions.

— Ces îles sont possessions espagnoles, fit remarquer le Jésuite.

Sans relever la tête, Cape-Rouge désigna de la main le matelot strabique.

— Santiago vous accompagnera. Encore une fois, il jouera le capitaine castillan. Sitôt vos réserves rafraîchies, reprenez la mer en cinglant au midi. Vous allez longer par bâbord toute la côte occidentale de la Barbarie, croiserez la rivière Sénégal… Vous contournerez, là, le large cap de Bojador et finirez par mouiller dans le golfe de Guinée.

— À ces latitudes, les vents seront favorables ? s'informa N'A-Qu'Un-Œil.

— Rarement. Au mieux, vous naviguerez au plus près bon plein. Parfois à pouge. Toutefois, les courants joueront en votre faveur. Bon, ici, vous passerez le cap Sierra-Leona, la côte du Grain — ou de Malaguette —, la Côte d'Or et, enfin, au bout de cette terre, avant que le continent ne s'incurve de nouveau vers le sud, vous atteindrez les rives du vaste empire du Bénin nommé aussi la Côte des Esclaves.

— Et pour revenir ? s'informa le bosco. Faut-il redescendre toute cette côte, ici… quel est son nom ?

— Ce sont les royaumes du Congo et d'Angola. Non, tu n'as point à t'en soucier. C'est là toute la beauté de l'affaire. Tu te laisses porter par les courants et le suest* qui traversent l'entièreté de la mer océane vers la pointe du Brésil, ici, et les Antilhas. Il n'y a que cette zone de vents variables, là, où vous risquez de trouver le vaisseau encalminé, sinon...

Après avoir étudié le tracé à suivre, caressant sa barbe d'une main, toujours penché sur le portulan, N'A-Qu'Un-Œil, d'un ton rêveur, finit par faire remarquer :

— C'est une longue course.

— Cela te préoccupe ? s'informa Cape-Rouge en se redressant. Il est toujours temps de refuser ma proposition.

— Diable, non, capitaine ! répliqua incontinent le bosco. Vous ne trouverez point meilleur homme que moi. Je me demandais seulement combien de temps vous auriez à vous passer de moi et de mes hommes en restant sur Ayaou avec les cannibales comme voisins.

— Ne t'alarme point pour les guerriers de François. Quoiqu'ils nous paraissent parfois extravagants et déraisonnables, ce sont nos alliés.

— Et puis, ils sont trop occupés à soigner leurs malades pour songer à quelque gueuserie à notre endroit, renvia le Jésuite, les bras toujours croisés sur sa poitrine.

Cape-Rouge abandonna le portulan pour se laisser retomber sur sa chaise. Il tira de nouveau les bésicles de son nez; une marque couperosée apparut près des voiles des narines. Le pirate, yeux plissés et visage grimaçant, la frotta entre le pouce et l'index. Il dit:

— Parmi les hommes de la *San Pedro* que tu emploieras, il y en aura sans doute quelques-uns qui sauront d'expérience comment négocier avec les rois nègres et à quels prix leur acheter des esclaves. Gare aux fourberies et aux feintises! Pour le négoce, cette négrure ne me dit rien qui vaille. Quand on vend comme esclave quelqu'un de sa propre race, il faut une âme aussi noire que sa peau.

— Je ne les trouve guère différents de nous, osa Lionel qui regretta incontinent avoir ouvert la bouche, lui qui se promettait désormais de se faire moins voyant, moins provocant. Comme nous, comme les Espagnols, comme les Maures, les Turcs, comme les cardinaux, le pape même, en ses palais de Rome, ils sont âpres au gain. Ça ne démontre que leur humanité, rien de plus.

Le capitaine ne releva point la remarque ; ce fut Santiago qui enchaîna :

— Pour dire le vrai, personnellement, hé, hé ! je les trouve même mieux… enfin, je veux dire… hé, hé ! Je trouve leurs femmes encore plus belles que les Espagnoles, plus gracieuses que les Indiennes, plus élancées, plus…

— Moi, c'est leurs hommes que je trouve plutôt beaux, argua le Jésuite avec un plaisir évident à faire parade de ses écarts d'inverti. Ces muscles lustrés ainsi que de l'obsidienne, saillants, ces tailles fines, ces…

— Jésuite !

La voix de Cape-Rouge ne recelait de colère aucune, mais n'invitait point à riposte. Si les préférences du Jésuite en matière de plaisirs charnels étaient tolérées, la discrétion s'imposait tout de même. Déjà que blasphèmes, pillages, tortures et meurtres faisaient partie du quotidien de la flibuste, s'il fallait y ajouter les péchés d'invertis et s'en glorifier, le diable lui-même…

Mais là n'est point l'intérêt de mon récit.

— Ce bêtassot de capitaine espagnol avait tant mal disposé sa marchandise, fit remarquer N'A-Qu'Un-Œil pour changer le sujet de conversation, avait tant mal rangé ses esclaves, que les malades prodiguaient leurs flux de ventre et leurs infections à toute la multitude. Les deux tiers d'entre eux sont morts en cours de traversée. L'équipage ne se donnait même point la peine de jeter les cadavres à la mer, on les laissait pourrir au milieu des vivants.

— Hé, hé! Belle façon de multiplier les pertes, ironisa Santiago.

— De plus, une large ouverture séparait le plancher du plafond de la cale, un intervalle où il aurait été possible d'ajouter des pièces de bois pour y caser plus d'esclaves encore.

Le bosco posa sa pupille unique sur Cape-Rouge dans l'espoir de surprendre l'effet que produisaient sur lui son enthousiasme et ses qualités à régir les profits de l'entreprise dont il venait d'hériter. Mais puisque le capitaine demeurait pensif et silencieux, ce fut le Jésuite qui approuva:

— C'était là du bon profit perdu inutilement, en effet.

— Hé, hé! N'A-Qu'Un-Œil, cette répartition des captifs emboîtés les uns dans les autres ainsi que des petites cuillères, hé, hé! permet quand même de gérer au mieux la place disponible.

— Mais tout le monde baigne dans les humeurs d'autrui.

— Pourquoi ne point les coucher sur le dos? suggéra Lionel. Bien collés épaule contre épaule, les esclaves ne perdraient pas tant d'emplacement et cesseraient de se soulager sur le voisin?

— Les déjections de ceux empilés sur les étages supérieurs tomberaient sur ceux de dessous.

— Point si nous intégrons des gouttières sous chacun d'eux de manière à ce que les excréments s'écoulent ensuite vers la sentine.

— C'est une idée, émit N'A-Qu'Un-Œil, les lèvres plissées.

Le taciturne Urael qui se tenait vaguement en retrait depuis le début des échanges fit un pas vers la table. D'une voix calme et posée, mais que les hommes avaient si peu coutume d'ouïr qu'elle leur parut haussée, il demanda:

— Qui est ce peuple noir pour qui vous semblez entretenir si peu d'estime?

La question surprit autant par sa singularité que par la rareté avec laquelle le Wayana s'exprimait. Il faut dire que ce dernier n'ouvrait onques la bouche pour formuler des fadaises.

— Eh bien... hésita Cape-Rouge qui éprouvait plus que les autres la responsabilité d'instruire l'Amériquain des us de l'Ancien Monde, c'est... c'est dans la nature de... ces êtres, ces hommes qui peuplent le continent appelé Afrique de... d'être esclaves, de servir, de...

Il fit une moue en agitant la main d'un geste vague, cherchant les termes exacts qui pouvaient le mieux exprimer sa pensée déjà un peu confuse à ce propos. Il se tourna vers l'homme à la bure pour trouver appui.

— Jésuite, c'est dans la Bible, n'est-ce pas, qu'on trouve l'origine du destin tragique des Noirs?

— Si fait, capitaine. Dans la Genèse et dans les prêches de Josué.

— Qu'en dit-on déjà?

Le Jésuite tapotait ses lèvres d'un doigt agité tandis qu'il levait les yeux au plafond pour mieux rafraîchir sa mémoire.

— C'était après le déluge, dit-il. Sur terre, d'êtres humains, il ne restait plus que Noé et ses trois fils — et leurs épouses, bien sûr. Dieu leur partagea le monde et chacun engendra les peuples des terres qui lui étaient assignées. Japhet, par exemple, fut l'ancêtre commun de toutes les nations du Nord de la Méditerranée, nous, quoi ; Sem, celui des peuples asiatiques et sémitiques, les Turcs, les Chinois et tous ceux-là ; Cham enfanta les peuplades africaines qu'on appelait lors les royaumes d'Égypte, de Koush, de Pout, etc., ainsi que le pays de Canaan.

« Toutefois, il s'avéra que Cham déplut à son père et à Yahvé. Noé maudit alors son fils en ces termes — ou à peu près : "Maudit soit Canaan — et l'Afrique ! Qu'il soit l'esclave des esclaves de ses frères !" Et il dit encore : "Béni soit l'Éternel, Dieu de Sem, et que Canaan — et l'Afrique — soit son esclave ! Que Dieu étende les possessions de Japhet, qu'il habite dans les tentes de Sem, et que les fils de Cham soient leurs esclaves !" »

— Il n'était point content, le paternel, s'étonna N'A-Qu'Un-Œil. Qu'avait donc fait Cham ?

— Il avait vu son géniteur tout nu.

— Hé, hé ! ricassa Santiago. C'est une blague ?

— Point selon la Bible. Mais quand j'étudiais au séminaire, certains exégètes supposaient que les textes sacrés péchaient simplement par pudeur. Cham aurait profité de l'ivresse de son père pour le violer.

N'A-Qu'Un-Œil faillit en perdre son cache-œil.

— Violer son père? s'exclama-t-il.

— Voilà pourquoi les Africains, descendants de Cham, auraient été maudits par Dieu et promis à l'esclavage pour tous les autres peuples du monde.

— Tu vois, le Jésuite, à quoi tu t'exposes à préférer les garçons aux femmes? lança le bosco.

— Pour devenir l'esclave de quelqu'un, peut-être que je me commets, ricana le Jésuite, mais point pour naviguer. L'Arche est la seule embarcation qui ait survécu au Déluge.

Tout le groupe de pirates éclata de rire, sauf Urael qui, le nez plissé dans une moue de dégoût, émit:

— Votre Dieu, ce… Yahvé, me paraît fort vindicatif.

— On ne peut dire moins, répliqua Cape-Rouge, le visage encore fendu d'un large sourire.

— Bonne fortune pour nous, alors, les Wayanas, d'avoir vécu éloignés de votre Dieu. Bonne fortune que Celui-ci nous ait oubliés au moment de partager le monde entre les trois fils de l'autre.

INTERMEZZO

— On blasphème beaucoup chez les pirates, monsieur.

— Je crois, Vos Seigneuries, que c'est là manière d'esbroufer, de se montrer plus méchant que l'on est en vérité.

— Tout de même, vous citez là des échanges qui, à eux seuls, mériteraient le tribunal de l'Inquisition.

— Pourtant, Votre Seigneurie, rares sont les marins, aussi bretteurs, aussi cruels soient-ils, qui prendraient la mer, surtout pour une expédition de pillage, sans d'abord entendre la messe, sans même, pour les catholiques, communier ni se confesser, jurant souvent de ne point toucher aux curés ou aux biens de l'Église, calices, tabernacles, patènes, fussent-ils du meilleur or.

— Vous mentez, monsieur. J'ai ouï de nombreuses histoires de pillages d'églises…

— Je précise : pour les catholiques, Votre Seigneurie. Pour les réformés, c'est une autre affaire. Tout de même, chez tous les chrétiens, avant de s'embarquer, on promet aux saints prières et dévotions en cas de victoire.

— Vous m'étonnez.

— Cela est pourtant l'évangile. Pour les gueux des mers, l'avenir paraît par trop incertain qu'ils ne songent à la mort chaque jour. Ainsi, ils s'obligent à profiter de chaque moment de plaisir à leur portée sans toutefois manquer à leurs patenôtres et expier à mesure leurs péchés.

— Voilà un mode de pensée fort commode qui permet de jouir des biens terrestres tout en ménageant son séjour éternel.

— Ils ne sont point moins futés que pirates, Vos Seigneuries.

— Et les hommes de Cape-Rouge étaient de cette race? C'est-à-dire tranche-montagnes* dans leurs propos, mais dévots en leur cœur?

— J'ai bien précisé à Vos Seigneuries que je parlais des gueux des mers en général. Point de Cape-Rouge, point des hommes qui se formaient à sa doctrine. Cape-Rouge était pis qu'un hérétique, Vos Seigneuries. Non point qu'il ne crût en Dieu, en fait, il croyait en tous les dieux, en tous les diables, les païens comme les chrétiens. Il vouait son âme à l'un ou à l'autre, opposait l'un à l'autre, en fonction de ses besoins, pour servir son profit du moment. Il manœuvrait les dieux ainsi qu'il le faisait de ses moindres suppôts.

Les magistrats se signent en se jetant des regards à la dérobée. Sans attendre leur invite, je poursuis :

— Je vais maintenant narrer à Vos Seigneuries ce que j'appris — oh! il y a fort longtemps, et d'un *bóyé* devenu si vieux qu'il en était presque sénile — ce que j'appris, adonc, de la manière avec laquelle, à l'époque, on complota la mort de François, le cacique blanc.

5

— Je mettrai la poudre dans son *ouicou* lors du *caouynage*, souffla Iríria aux hommes, une nitescence haineuse au fond des pupilles.

— Point de cet *urari* ou de cet *iboúcoulou* ou de tout autre poison qui fleure fort et dont il pourrait pressentir la menace, s'inquiéta Baccámon.

— C'est là mon affaire.

— Nous mangerons ses chairs parmi les autres sacrifiés, prononça avec mépris un *bóyé* non réputé pour son esprit vif.

— On l'empoisonne, tête de ouistiti! On ne va pas s'en bâfrer après! objecta un autre sorcier.

— Ni Chemíjn ni Mápoya ne veulent de son martyre, précisa Jali. Ils exigent seulement de lui qu'il disparaisse, qu'il meure sans gloire et pourrisse en la terre pour nourrir les vers d'Acaera.

— Il est temps de frapper, en tout cas, affirma Baccámon. Profiter du fait que la plupart des hommes valides sont partis en mer pour deux à trois mois sur la *piragua* géante des Blancs. Profiter de l'absence de ses meilleurs *ouboutous*, de ce Mana surtout, du village de Bálaou, profiter qu'il ne lui reste guère d'exercé à sa garde rapprochée qu'Oualie, cet unijambiste devenu gras. Profiter du fait que Cape-Rouge n'a plus les hommes pour venir prêter main-forte aux quelques récalcitrants éventuels qui s'opposeraient à notre action.

— Je vais ordonner aux femmes de préparer l'*ouicou*, dit Jali. Je vais annoncer le *caouynage* pour dans deux jours.

⚓

François. Le cacique blanc.

Il s'agissait alors d'un homme de vingt-cinq ans, à un ou deux ans près, beau de visage, épaules larges, fort bien bâti, très grand, au sommet de sa forme.

Mais point de sa popularité.

Il était instruit des murmures qui circulaient au cœur de son peuple et qui remettaient en cause son droit au caciquat, c'est-à-dire à régner sur les terres et les habitants d'Acaera. Il punissait à l'occasion la velléité de sédition des agitateurs surpris ici et là à semer la confusion dans l'esprit des siens. Il n'ignorait point les noms des quelques meneurs qui présumaient du mécontentement de Chemíjn, le dieu malicieux, et de Mápoya, le démon malveillant. On murmurait que ces entités païennes n'appréciaient point les oblations* offertes par un cacique au sang mêlé et jetaient leur mécontentement sous forme de fièvres et de lésions qui, peu à peu, entraînaient tout le peuple dans la mort. François pouvait nommer les Jali et autres *bóyés* qui masquaient leur incompétence à soigner les malades en propageant ces rumeurs, il soupçonnait même sa propre épouse, la discrète Iríria, plus amère, plus effacée encore depuis le décès de leur fille Oüacálla, d'être sympathique aux discours factieux.

Mais jamais il ne l'aurait pressentie si compromise dans le complot.

Les prisonniers étaient issus d'une rapide razzia contre des îlets taínos deux semaines plus tôt. On les avait attachés par la taille, chacun à son poteau respectif, à l'aide d'une corde de *maho*. Le cacique François les observait s'écrouler un à un, non point avec

plaisir ni avec horreur, mais avec le détache-
ment de l'accoutumance. Leur crâne s'ouvrait
chacun leur tour sous les coups du *boutu*
sacrificiel que maniaient les *bóyés*. Il n'avait
point été question de leur offrir les honneurs
et les hommages dus à ceux promis aux
supplices — nourriture en abondance, confort,
jolies femmes… —, le temps pressait d'abreuver la terre de sang, de manger les chairs et
de ramener ainsi l'indulgence des divinités.

Et aussi — mais de cela François n'était
point informé —, avant que ne revienne le
navire parti pour l'Afrique, de débarrasser
Acaera de tout ce qui y était étranger, y
compris les enfants issus des contacts entre
les femmes et les pirates.

— Me voici plus faiblard qu'un vieillard
égrotant*, grinça le cacique à l'adresse
d'Oualie tandis qu'il portait une paume
moite à son front.

Les deux hommes étaient assis sur des
*moúles** ornés de plumes et d'os, un *coy* dans
les mains, entourés de leurs épouses et des
trois jeunes fils de l'*ouboutou*. Ce dernier
tourna un regard inquiet vers son cacique. Il
faut dire que, avec les affections qui consu-
maient les Kalinagos, la moindre allusion

à quelque malaise que ce soit portait à apeurement.

— Que ressens-tu ? s'inquiéta le guerrier unijambiste. Point de ce mal qui te fait *çaçágouti ichibou**, au moins ?

— Non, non, ne t'alarme point.

Le cacique, sourcils froncés, observait le breuvage qu'il faisait tournoyer au fond de son *coy*. Il dit :

— D'ordinaire, je supporte assez bien l'alcool, mais cet *ouicou*-ci, je soupçonne les femmes de l'avoir un peu trop laissé fermenter.

Oualie éclata d'un rire exprimant soulagement et amusement. Il rétorqua :

— Voilà qui ne devrait point déplaire. En tout cas, le mien ne me paraît mie différent de l'ordinaire.

Il baissa le ton pour parler plus près de l'oreille de son souverain.

— Peut-être les crachats de dame Iríria étaient-ils plus chagrins que de coutume[1].

Oualie, en toisant rapidement l'épouse du cacique debout à quelques pas, crut qu'elle l'avait ouï, car elle fixait les deux hommes

---

1. Pour la méthode de fabriquer l'*ouicou* à partir du crachat des femmes, voir le tome 3 de la série : *L'Emprise des cannibales*.

avec un regard intense. Il se sentit niais. Puisque François se penchait vers lui, l'*ouboutou* crut que celui-ci voulait répliquer, mais, en voyant le *coy* répandre son contenu sur le sol, il comprit incontinent que son maître s'affaissait plutôt.

— Mon roi! Que t'arrive-t-il?

François ressentait une si forte douleur au ventre qu'il peinait à respirer. Étourdissements et nausées, adjoints au mal, lui interdisaient de répondre à son capitaine. Plié en deux, glissant de son *moúle*, il posa une cuisse contre le sol de terre battue. Il vit Oualie, avec une souplesse qui étonnait toujours, bondir sur sa seule jambe valide, hurler des ordres autour de lui, ordres que le cacique oyait en un écho lointain, inintelligible. Son champ de vision se rétrécit, se rouvrit, se rétrécit de nouveau, ainsi qu'il eût observé son *ouboutou* au travers le fût d'un canon au pertuis mouvant, palpitant au rythme lancinant de la douleur qui mangeait son corps. Autour de lui, le village se mit à tourbillonner pareil à ces navires portés par les collines d'eau d'une mer furieuse qui, dans ses colères irraisonnées, avale hommes et bâtiments. Il se vit sur un pont, les mains enclosant la filière, se retenant de suivre les paquets de mer qui balayaient les manœuvres. Il ne ressentait plus la douleur, il la voyait! Elle lui paraissait ainsi que la pire colère de Juracán sur la pire mer démontée.

Il est facile, Vos Seigneuries, de présumer des facéties de l'esprit qui affectent lors un homme de son espèce, mi-Blanc mi-Indien, mi-chrétien mi-païen, moins dévot qu'idolâtre, cantonné sur un bout de terre minuscule tandis qu'il avait longtemps chevauché la mer. Oui, il est facile de présumer que cette même mer revient le hanter au moment de mourir, il est facile de figurer que le cacique blanc vit la mort, non point en chrétien qui répond à l'appel de son Dieu, mais en marin qui se débat avec les flots. C'est le royaume de Neptune qui lui baille ses plus lointains souvenirs, les images de ceux qu'il n'a point connus, mais qui ont rythmé chaque seconde de sa vie.

Du bastingage où il s'imaginait, les vit-il? Beau dommage qu'il les vit! Sur une barquette à bâbord, un homme grand et riant, vêtu à l'européenne, et une splendide jeune Amériquaine nue: son père et sa mère. Ils le venaient accueillir. Et puis, par la suite, sans doute ouït-il le rire caractéristique de Kairi, son grand-père, l'ancien cacique, qui arrivait par tribord sur une litière flottante. Des voix anciennes se mariaient aux sifflements de Juracán, un chœur qui ne chantait point, mais dont les consonances s'appréciaient à la mode d'une musique : son oncle Armand, Gros-Dos, Joseph, Doublon d'Or, le cacique taíno Canóbatana qui l'avait accueilli deux ans sur l'île de Guátibo…

À la parfin, vraisemblablement, François aura vu une lame plus grosse se dresser devant son navire, masquer les esquifs qui approchaient et l'engloutir.

Ainsi qu'un salmagonde* dans lequel se seraient confondus temps et émotions disparates, ainsi qu'un rêve, l'esprit meublé des souvenirs de son existence, le fascinant cacique blanc s'était éteint assis sur un *moúle*, sans seulement combattre, sans seulement pressentir sa mauvaise fortune, tué par l'intérieur, lui qui, guerroyant avec courage, révérant ses ennemis et saluant leur hardiesse, avait toujours livré bataille de face, debout.

Telle était parfois l'ironie de l'existence.

— Trahison !

Oualie hurlait à défaut de pouvoir frapper la femme de son cacique qui observait sans émotion l'homme effondré près d'elle. L'*ouboutou* avait retiré de la cordelette de crin à sa taille le coutelas de silex qu'il portait en permanence. De son autre bras, il tenait fort la béquille empennée qui lui permettait de se tenir debout.

— Kalinagos ! Saisissez-vous de votre souveraine ! Elle a attenté à la vie de votre cacique !

L'épouse et les trois petits garçons d'Oualie s'éloignèrent de plusieurs pas ainsi qu'il leur avait été indiqué de faire si par impossible le capitaine des guerriers devait livrer combat en leur présence. Six ou sept hommes du village de Márichi se précipitèrent à l'invite de leur *ouboutou*, mais furent arrêtés net dans leur mouvement lorsqu'une vingtaine de guerriers au moins des villages de Titiri et de Bálaou se disposèrent derrière leur souveraine, encoches des flèches armées, arc bandé.

Visiblement, la forfaiture avait été élaborée avec soin.

— Ceux qui résisteront à la volonté des dieux seront tués sans autre forme de cérémonie.

Oualie se tourna à main gauche. Ce n'était point Iríria qui venait de parler, mais Jali, le grand *bóyé*, qui émergeait d'un carbet voisin en compagnie d'autres hommes-médecine et d'une dizaine de guerriers de Kairi, coiffés* par avance.

— Chemíjn nous a parlé et sa parole est sans ambivalence : les Blancs souillent notre terre, ils doivent mourir. Tous ! Les purs comme les sangs-mêlés.

— Misérable traître ! cracha Oualie. Tu mens ! Jamais nos lois n'ont dédaigné les liaisons avec les peuples en dehors d'Acaera. Combien parmi nous ont des enfants venus de nos esclaves taínas ? Kairi l'avait bien compris en mariant sa fille unique au père de François. Et jamais Chemíjn n'aurait consenti à balayer la descendance du plus apprécié de nos caciques.

Des mouvements se dessinaient au milieu des fêtards, des réactions mitigées inspirées par l'envie de se rallier à l'une ou l'autre des forces en présence, des murmures s'oyaient, des questions, point de protestations comme telles, car trop d'incertitude couvait, à propos de ces épidémies, entre autres, pourquoi tant de morts ? tant d'indifférence des dieux ? De la peur se devinait aussi dans quelques expressions, chez les femmes surtout, car elles étaient bien les seules, parmi les soiffards qu'elles servaient, à se trouver tout à fait sobres.

— *Ouboutou* Oualie! tonna de nouveau la voix de Jali. Acceptes-tu comme nouvelle souveraine la femme de ton cacique, Iríria, fille de Ay-Ay, petite-fille d'Alliouagana et arrière-petite-fille de la propre mère de Kairi?

— Sur mon cadavre seul!

— Qu'il en soit ainsi!

Par réflexe, Oualie se tourna d'abord vers les flèches pointées dans sa direction; il ne remarqua que trop tard l'œillade lancée par le grand *bóyé* à quelqu'un derrière lui, quelqu'un qu'il n'avait point ouï approcher. Sa compagne hurla à la seconde où tout devenait noir. Oualie s'affaissa, un couteau de silex enfoncé dans la nuque.

— Tuez aussi la femme et les garçons, ordonna Jali sans même un regard dans la direction de l'épouse et des fils de l'*ouboutou*.

Gorge tranchée, les quatre membres de la famille du capitaine s'écroulèrent à la même seconde. Le silence ne se fit point pour autant, quelques guerriers ayant choisi le camp de François et d'Oualie. Ils étaient une dizaine, douze peut-être, à s'être relevés en titubant, à la recherche de leur poignard ou de leur *machana*. Ils vociféraient, injuriaient, blasphémaient, plusieurs de leurs propos teintés d'incohérences, l'alcool agissant fortement. Des cordes d'arc chuintèrent, une huitaine de flèches bourdonnèrent, six ou sept corps s'affaissèrent. Il y eut encore bousculade, des coups échangés, on ouït des ahans, on perçut le son des os qui éclatent à la manière des arbres qu'on abat, il y eut des râles… puis le silence tomba enfin sur Acaera.

⚓

Les vagues mugissaient en s'ouvrant contre le taille-mer, marries qu'on les brusquât dans leur course, sifflant ainsi que des bêtes courant la plaine et qu'on aurait écartées en les devançant; les lames d'eau, ainsi que de longues cantonnières battues de vent, écumaient en remontant le long des œuvres-mortes.

Des hirondelles de mer et des pailles-en-queue escortaient les mâts, fondant les modulations de leurs cris aux harmoniques du vent et des eaux. Le soleil des tropiques blanchissait le ciel ainsi que le métal dans les fourneaux de la fonderie, mais son feu se diluait sous la détrempe des embruns.

La caravelle *San Pedro*, favorisée par tous les dieux — ou tous les démons —, chrétiens comme amériquains, profita de vents grand largue tant pour remonter le septentrion jusqu'à la latitude voulue, le long de la Terre Fleurie, la Floride, que pour cingler ensuite en direction de l'orient. Une fois atteintes les Açores, un borée* vif se substitua incontinent aux vents du ponant, entraînant le vaisseau directement sur les Canaries. Dix-neuf jours à peine après leur départ d'Acaera, les hommes de Cape-Rouge pouvaient déjà espérer s'avitailler en eau et en provisions fraîches.

— Aucun cas de mal de terre, fit remarquer N'A-Qu'Un-Œil à Lionel qui, debout au garde-corps de la dunette, observait la ligne bleutée de La Palma, l'une des deux îles les plus à l'ouest. Jamais traversée de la mer océane ne me parut si facile.

— Voilà qui est tout à ton honneur... capitaine.

N'A-Qu'Un-Œil retint un instant sa respiration ainsi que chaque fois qu'un de ses hommes usait de son titre. On eût dit qu'il

ne s'y habituait point encore, que la défé-
rence y associée le secouait à la manière
d'une caresse mal maîtrisée, une chatterie
violente. Lui qui avait dû se contenter si
mûrement de servir second, comme il lui
paraissait bon de tenir tous les autres sous
son autorité, de n'avoir aucun compte à
rendre à qui que ce soit.

Au bastingage de bâbord, près de l'homme
de sonde penché sur sa ligne plombée, Urael
et Mana œuvraient au râtelier de la misaine.
Les deux Amériquains, quoique de nations
différentes, au cœur des combats qu'ils
avaient livrés côte à côte, à vivre dans le
voisinage immédiat des Blancs, s'étaient
accointés en apprenant chacun à apprécier
les qualités de l'autre. Dans leur dialecte
respectif, ils trouvaient des mots, des expressions qui se recoupaient, et ils en usaient
pour échanger, du moins Mana, car Urael,
fidèle à lui-même, restait ce guerrier peu
loquace, mais toujours écouteur.

— Vingt-cinq brasses ! hurla l'homme de
sonde.

Les deux Naturels qui s'étaient également
découvert le même entichement pour la mer,
le même plaisir d'en parcourir les plaines,

d'en repousser toujours l'horizon, répugnaient aussi aux mêmes aléas de la vie à bord des navires : promiscuité, bruit continuel, saleté, nourriture infecte, eau croupie…

— Vingt brasses !

N'A-Qu'Un-Œil inclina le corps par-dessus la balustrade et hurla ses ordres à Philibert, le timonier de confiance de Cape-Rouge, enrôlé lui aussi pour prêter main-forte au nouveau capitaine.

— Barre à tribord, toute ! (Puis, aux hommes aux manœuvres sur le pont :) Brassez au carré ! Carguez les hautes voiles !

Aiguillés par les nécessités des manœu-vres, Urael et Mana s'activèrent de concert avec les autres gabiers. La gouverne s'exé-cuta à la perfection et la caravelle, entraînée par son erre, pénétra les eaux plus sombres qui marquaient un chenal. Les infrastructures d'un hable* se distinguaient, avec les mâts de quelques navires qui, voiles bien ferlées sur leurs vergues, se balançaient sous la brise.

— Santiago !

— Capitaine ? lança le strabique, accroché aux enfléchures de la voile maîtresse — la grand-voile —, tournant ses yeux bigles vers le château de poupe.

— Dès la manœuvre terminée, viens là te vêtir d'un pourpoint. Tu vas descendre à terre jouer ton rôle avec quelques drôles de confiance qui parlent castillan.

— Je m'occupe de l'avitaillement ?

— Et on repart dès après. Je n'ai point intention de m'éterniser dans ces eaux qui grouillent d'Espagnols.

INTERMEZZO

À la deuxième journée de ma comparution, tandis que je viens à peine de reprendre place à la barre des témoins, le juge en chef dit :

— Voilà que, hier, monsieur, vous nous relatâtes une fort intéressante histoire dans le but de nous mieux faire entendre les divisions et accointances marquant les relations entre les pirates et les cannibales.

— J'avoue que je ne trouve point encore le lien avec le capitaine Mange-Cœur, fait remarquer à un voisin l'un des juges pédanés tenus à l'écart des juges assis.

Il a feint de chuchoter, mais a parlé assez fort pour s'assurer que l'ouïsse le juge en chef. Ce dernier, de son côté, sans lui prêter attention, réplique :

— Nous apprécions jusqu'à maintenant cette digression, voire ces circonlocutions qui, quoiqu'elles compromettent les délais que nous nous étions fixés pour ce procès, éclaireront notre jugement.

— Je remercie Votre Seigneurie de ses bontés à mon égard.

— Il ne faudrait point en abuser, toutefois.

— Que Votre Seigneurie se rassure.

— Si vous me permettez, interrompt un magistrat — qui a dû convenir par avance de son intervention avec son supérieur puisque ce dernier, déjà, posait un œil sur lui —, avant que de revenir à ces pirates qui ont atteint les côtes africaines, j'aimerais entendre ce qui est advenu de ce curieux *capitán* espagnol, ce... Luis Melitón de Navascués. Qu'avait cet homme à voir dans votre histoire?

— Il est vrai que, lors de mon récit d'hier, Votre Seigneurie, j'ai négligé de particulariser* ce point.

— Cette allusion à cet homme, là encore, n'était-ce que pour nous brosser un portrait de l'époque?

— Non point, car cet officier jouera un rôle clé dans les chroniques dont je vous retrace les péripéties.

— Vous voulez nous éclairer un peu?

— Avec la permission de Votre Seigneurie.

6

Luis de Velasco y Ruiz de Alarcón, *Señor de* Salinas, le deuxième vice-roi de l'histoire de la Nouvelle-Espagne, se rendit comme tous les jours à la cathédrale de Mexico pour y entendre la messe. À cette époque, Vos Seigneuries, la nouvelle construction n'était point encore entreprise et le vice-roi, faute d'espace suffisant, usait de la même nef que le vulgaire. Il se confessait aussi en la même chaire absolutoire, car de Velasco, en dépit de son rang, en dépit même qu'il côtoyât tous les jours Son Éminence Alfonso de Montúfar, l'archevêque de Mexico, préférait, en signe d'humilité, confier ses fautes — oh! bien minimes —, à l'oreille d'un prêtre du commun.

Les hommes armés de sa garde personnelle prenaient soin de bien encadrer leur maître lorsqu'il se rendait ainsi à ses dévotions, car de nombreuses rumeurs de mécontentement grondaient au sein des propriétaires

128

terriens, ceux qui géraient des commanderies. En effet, les colons espagnols obligeaient les Naturels vivant sur les domaines qui leur étaient assignés à travailler pour eux sans compensation, recréant ainsi les formes de servage du Moyen-Âge, pratiques si proches de l'esclavage que les corvéables préféraient souvent se donner la mort plutôt que de souffrir les conditions de leur soumission. De Velasco, sensible à la cause des Indiens, tentait de mettre un terme à ces pratiques, appuyé en cela par un édit royal de 1542 qui les abolissait. Toutefois, là encore, à cause de la grogne populaire, il avait fallu rétablir l'*encomienda* — le service des commanderies —, dès 1545, en adjoignant une clause qui en régissait la suppression à terme. Près de dix ans plus tard, malgré les efforts du vice-roi, à cause de la farouche opposition des colons, il n'était toujours point possible de faire appliquer ladite clause et les Naturels continuaient de mourir sous les mauvais traitements de leur servitude.

Une diablerie* des *encomenderos* visant à se débarrasser de ce vice-roi par trop favorable aux Amériquains avait échoué l'année précédente par le concours fortuit des pirates français[1]. Menés par le capitaine Cape-Rouge, l'arraisonnement de la *Guadalupe*, un navire affrété par *el duque* Otavio Holguin de Girasoles, la destruction de l'*Inquisición*, un galion appartenant au juge de l'*Audiencia* García de Orduña, sous l'autorité du *capitán* Luis Melitón de Navascués, et finalement la capture de la caravelle *San Pedro*, un négrier obligé de se plier à la conspiration, avaient donné heur de mettre au jour la diablerie. En remerciement de la lutte que menait le vice-roi pour les droits des Naturels — et sans doute davantage dans l'espoir que les Espagnols se châtiassent entre eux —, le flibustier avait écrit une lettre au représentant de Charles Quint pour l'instruire du complot. De Velasco ne se sentait aucune obligation envers le pirate français, surtout qu'on le savait adepte des hérésies de Luther et de Calvin, mais le vice-roi le gratifiait tout de même d'une reconnaissance secrète pour lui avoir permis de nettoyer son entourage des parasites qui menaçaient non seulement son pouvoir, mais l'autorité même de l'empereur dans les Indes occidentales.

---

1. Voir le tome 4 de la série : *Les Armes du vice-roi*.

De Velasco s'agenouilla sur le prie-Dieu du confessionnal. Le lourd rideau qu'il venait de refermer lui procurait le sentiment d'intimité dont il ressentait le besoin pour avouer ses péchés : intolérance entretenue parfois auprès de ses laquais, impatience et mots durs envers certains *caballeros* qui ne contribuaient en rien à l'édification de la colonie, se contentant plutôt d'importer leur mode de vie oisif de l'Espagne dans le Nouveau Monde, pensées scabreuses à la vue des courbes de ses servantes — mais sans jamais toucher, juré sur la Sainte-Croix —, son appétit pour le bon vin de Xérès, et enfin son goût immodéré pour les chorizos et les jambons importés à grands frais d'Orense ou de Ségovie — mais sans sombrer dans la gourmandise, ce péché capital.

De Velasco refaisait en esprit un inventaire strict de ses travers quand le grillage du parloir s'ouvrit. La sombreuseté de l'endroit l'empêchait de distinguer du prêtre plus qu'une ombre floue qui se mouvait à travers les treillages.

— Pardonnez-moi, mon père, parce que j'ai péché.

— J'ai pour *Su Excelencia* un fort bon moyen de s'amender de ses fautes.

De Velasco souleva un sourcil soupçonneux.

— Je ne reconnais point votre voix, mon père. Êtes-vous nouvellement dédié aux confessions?

— Je ne suis point prêtre.

Le vice-roi amorça le geste de se relever en balbutiant:

— Mais qui?…

— Surtout, *Excelencia*, n'entamez aucun geste malheureux. Le canon d'un pétrinal est pointé sur vous et ce n'est goutte ce misérable grillage en bois rongé d'humidité qui préviendrait la mitraille de vous arracher la tête.

De Velasco se laissa retomber à genoux, mais non sans cambrer le dos dans un réflexe pour s'éloigner de la cloison. Il ressentait la peur, certes, mais surtout, il venait de reconnaître la voix rauque, le feulement de fauve qui s'adressait à lui. Il s'exclama à mi-voix:

— *Capitán* de Navascués!

— Je constate avec plaisir que *Su Excelencia* ne m'a point oublié — quoique dans les circonstances qui sont miennes, j'eusse préféré l'opposite.

— Qu'avez-vous fait du curé?

Le vice-roi voyait luire ainsi qu'une étoile rougeâtre l'embout incandescent de la mèche du pétrinal dans l'obscurité du réduit.

— Ne vous tourmentez point pour lui, *Excelencia*, répliqua de Navascués. Il prie, étendu dans la sacristie, les mains liées dans le dos et un bâillon sur la bouche. Deux servants de messe lui tiennent compagnie.

— Que... désirez-vous? Que me ferez-vous?

— Au point où j'en suis, *Excelencia*, qu'importent mes gestes, je suis destiné à la hart*.

— Soyez-en assuré, rien ne vous en dispensera.

— Et je ne saurai guère prétendre à retrouver mes espérances de jadis, non plus. Toutefois, *Excelencia*, si, en dépit de tous les risques inhérents à ma présence à Mexico, j'ai opté pour obtenir cette audience auprès de vous, c'est que j'entretiens quelque espoir envers votre indulgence et votre parole d'honneur.

— Quelque espoir envers ma parole d'honneur? Monsieur... *capitán*, vous parlez à un noble d'Espagne. Lorsque je dis une chose, vous n'avez point à espérer, vous êtes acertainé. Et je dis, *capitán*, que sur ma foi, vous finirez au gibet.

De Velasco plissa à demi les paupières ; il avait distingué un mouvement flou au milieu du treillage et se figura que le canon du pétrinal s'avançait pour mieux cracher son fer. Il n'en fut rien. Cependant, le lumignon se fit plus vif pendant une seconde ; des lèvres entourées de poils grisâtres soufflaient sur la mèche.

— *Excelencia*, reprit la voix de Navascués, j'admets être en faute. J'admets m'être laissé abuser par les belles paroles de *don* García de Orduña et m'être ligué contre votre autorité. J'ai péché par vanité, *Excelencia*. On m'avait promis le poste de *Capitán general* des Indes occidentales. Orgueil ! Superfluité ! Dieu se plaît à m'éprouver sans cesse ; Il m'aime, *Excelencia*, et je n'ai point su répondre à Son amour. J'ai suivi dans les ténèbres de mes infortunes la lueur chimérique de la vacuité d'un titre.

De Velasco allait répliquer, mais la confidence de de Navascués le fascinait tant qu'il ne le voulut point interrompre. L'ironie prenait maintenant le pas sur la peur et si la situation n'avait été si dramatique, il s'en serait amusé : lui qui était entré en la chàire absolutoire dans le dessein d'avouer ses fautes, voilà que l'épanchement venait du côté où officiait de coutume le confesseur.

— Je sais, *Excelencia*, reprit le *capitán*, que cette inconduite à l'endroit du représentant du roi mérite la mort et que, quoique je fasse, je n'y puis échapper. Je pourrais fuir, refaire ma vie secrètement au milieu des *encomenderos*, voire des Sauvages, mais ce serait là m'éloigner de l'amour du Bon Dieu, me détourner de Ses épreuves afin seulement de rendre plus doux le temps qui m'est imparti sur cette terre. Non, *Excelencia*, je ne fuirai jamais mon droit à la vie éternelle dans le paradis de notre Créateur. Je ferai face à mon *fatum*, à mes écueils, ainsi que le fit Notre Seigneur Jésus-Christ en se laissant clouer sur la Sainte-Croix. Cependant, avant ce passage ultime, j'aimerais me garder du déshonneur, de la disgrâce, prévenir que de mon nom, on fasse pasquinades*.

— Eh bien ?

— Je vous offre, *Excelencia*, en échange d'un retour en grâce du nom de Luis Melitón de Navascués, afin que tous ceux qui me sont apparentés en Espagne, oncles, cousins, neveux, n'aient point à rougir de leur patronyme, je vous offre ma vie.

— Elle m'appartient de toute façon, *capitán*, et une fois que nous serons hors de ce confessionnal, je ne me priverai point de la suspendre au nœud d'une corde de chanvre.

— La vôtre aussi m'appartient en ce moment, *Excelencia*, et afin que nous sortions tous deux vivants de cette église, j'aimerais de vous une promesse.

— Une promesse du représentant de Sa Majesté Impériale arrachée à la pointe d'un pétrinal?

— Vous me voyez fort chagrin d'en être réduit à cette extrémité.

— Jamais je ne marchande, *capitán*.

— *Su Excelencia* me voit de nouveau marri de lui imposer cette fâcherie.

De Velasco déplia un peu les genoux, se leva à demi.

— Si je me lève, *capitán*, userez-vous sincèrement de votre arme contre votre vice-roi?

— Que *Su Excelencia* n'en doute mie.

— Au risque d'ajouter aux autres souillures de votre nom celle de régicide? Dans un lieu consacré par Dieu, en plus?

— Dieu me demandera quelque action de grâces, certes, pour me laver de ce péché, mais aucun acte de foi ne serait digne d'un homme qui, sans rien faire, laisserait son honneur se ternir et abandonnerait cette souillure aux proches qui portent son nom. De cela, Dieu ne saurait pardonner.

— Tuer un chrétien, un représentant royal, béni par le Saint-Père, dans la maison même de Dieu! Vous êtes non seulement condamné à la mort terrestre, mais à la damnation éternelle!

— Sauf votre respect, *Excelencia*, vous n'êtes point oint, ainsi que l'a été notre empereur bien-aimé, des saintes huiles papales. Accordez-moi encore une seule minute, je vous en conjure.

De Velasco, incapable de s'assurer de la part de bluff et de vérité dans les propos de son vis-à-vis, retomba sur ses genoux.

— Dans une minute, *capitán*, je me lève. Ou vous me laissez sortir vivant…

— … et vous me faites pendre.

— Ou vous me tuez…

— … et vos gardes m'estocadent en retour. Je n'ai qu'une proposition à vous faire, *Excelencia*, non point pour sauver ma vie, car je vous l'ai dit, je vous l'offre de toute façon, mais pour mon honneur. En retour du retrait des accusations de trahison qui m'incriminent, je vous offre la tête du capitaine Cape-Rouge qui sème la terreur dans les eaux des Antilhas depuis déjà trop longtemps.

— Le pirate français ?

— Celui-là même, *Excelencia*. Je suis le seul survivant de l'expédition de l'*Inquisición*, je suis le seul à connaître l'emplacement de l'île aux cannibales, là où il se terre. Envoyez-y une troupe, *Excelencia*. Cinq navires au moins, bien armés, avec mille hommes. Je servirai de guide et, par ma foi, nous débarrasserons ces eaux des hérétiques qui y font la loi.

— Une expédition contre les pirates ? C'est ce que vous demandez ?

— Contre les suppôts de Calvin qui bafouent l'Église, l'autorité papale, et se gaussent de la virginité de Marie, la Sainte Mère de Dieu. *Sí, Excelencia*, en retour du blanchiment de mon nom. De plus...

Il n'hésita guère plus de deux secondes, mais le vice-roi, fasciné, ne put masquer son excitation en insistant :

— De plus ?

— De plus, il y a le trésor.

— Le... trésor ? De quel ?...

— Le trésor de Virgen-Santa-del-Mundo-Nuevo[1]. *Mon* trésor. Une fortune, *Su Excelencia*, tirée d'une ancienne cité d'or cachée au cœur de la forêt.

— Je croyais qu'il s'agissait d'une légende.

— Seulement en partie. Cette ville indienne abandonnée depuis des siècles existe bel et bien, sauf que ses richesses présumées avaient été surestimées. N'empêche que mes troupes et moi en tirâmes assez d'or et d'argent pour financer tous les projets que *Su Excelencia* pourrait entretenir pour le Nouveau Monde.

Puisque le vice-roi ne réagissait plus, de Navascués ajouta :

— Et à l'heure où je vous parle, *Excelencia*, s'il ne l'a tout dissipé en beuveries et autres aliénations, Cape-Rouge se repaît de plus d'abondances que tous vos *encomenderos* réunis.

— Et vous remettriez ce trésor en totalité en nos mains, *capitán* ? demanda le vice-roi, d'une voix à l'exaltation mal contenue.

— Au vrai, *Excelencia*.

---

1. Voir le tome 3 de la série : *L'Emprise des cannibales*.

— Vous serez quand même pendu à votre retour. Victorieux ou non.

— C'est l'entente, *Excelencia*, si j'ai votre parole que mon nom retrouvera l'honneur que, dans un moment d'égarement, j'ai sali.

Cape-Rouge.

Le trésor de Cape-Rouge.

Le trésor des rapines de Cape-Rouge adjoint aux richesses tirées de la cité d'or.

En dépit de son embrasement, Luis de Velasco y Ruiz de Alarcón s'arrêta un instant à réfléchir. Quelle était sa créance envers le pirate français? Miette. Il n'avait jamais promis quoi que ce fût à l'hérétique puisqu'il n'avait jamais répondu à sa lettre. Et qu'avait demandé le pirate, déjà, dans ce pli où il évoquait les noms des conspirateurs? « En échange de tolérances plus grandes envers les nations américaines y compris celles accusées de cannibalisme et pour qui *Su Excelencia* démontre déjà indulgence et bonté. » Adonc, accorder encore plus de bonté aux Indiens. Sans problème. Le vice-roi portait déjà beaucoup d'estime à ces créatures de Dieu, païennes, certes, mais qui n'avaient point encore eu accès à la parole des apôtres. La leur transmettre était le devoir chrétien des Espagnols. Dieu ne leur avait point offert les richesses du Nouveau Monde pour rien.

Rasséréné, de Velasco inspira mûrement. Sa possible dette d'honneur envers le flibustier calviniste était d'ores payée : les Indiens profitaient de ses efforts pour améliorer leurs conditions, tant terrestres que spirituelles. Le vice-roi pouvait, hors de conteste, considérer les gueux des mers ainsi que les ennemis qu'ils étaient.

Et s'approprier leurs biens, volés de toute façon à des intérêts espagnols.

— Eh bien, *Excelencia* ?

Le lumignon brasillait toujours dans la sombreté du confessionnal, mais le vice-roi, désormais, n'en percevait plus la menace.

— Vous avez ma parole, *capitán*, dit-il enfin. Demain, paraissez au palais vice-royal… non, point là, votre visage y est connu… allez plutôt… à l'auberge *Casa Magdalena*, à la sortie de la ville, sur la route de Tlacopan, sous les titre et nom de… disons, *capitán* Angel Yágüez. J'y donnerai des ordres afin que, dès votre arrivée, vous soyez incontinent conduit à moi. Je serai non loin, incognito aussi, en un abri dans la forêt.

Ensemble, nous discuterons de quelle force nous pourrions disposer pour mâter les pirates français.

⚓

— *En esta anconada, aquí.*

Un Espagnol de l'équipage original de la *San Pedro* pointait un index nerveux en direction des rives luxuriantes du royaume du Bénin que la caravelle longeait depuis deux jours. Il souriait à Santiago des seules dents qu'il lui restait sur la mâchoire du bas. Il était visiblement fier de s'être souvenu de la configuration des lieux, sans doute cela lui mériterait-il double ration de guildive, le soir venu.

— L'anse, ici, traduisit Santiago à l'égard de N'A-Qu'Un-Œil.

— À quelle profondeur sommes-nous? demanda ce dernier à l'homme de sonde.

— Douze brasses.

— Mouillez les ancres!

Au fracas du fer qui s'ouvre un chemin dans l'eau, les gabiers halèrent sur les drisses, hissant les dernières aunes de toile que la brise gonflait encore. Au milieu de la plainte des bossoirs et du crissement des capons, les dents de métal balayèrent un moment les fonds du golfe de Guinée avant de s'y accrocher.

— Ça grouille fort, là, sur la grève, fit remarquer Lionel qui scrutait la plage à deux encablures de distance. Et on voit la fumée des feux d'un village à travers les arbres, là-bas.

Les hommes s'étaient regroupés pour la plupart du côté du bastingage donnant sur la terre pour observer les rives où s'agitaient une centaine d'Africains, au moins. Leurs corps élancés et musclés, dénudés presque autant que ceux des Amériquains, brillaient des reflets des pierres plutoniques que crachent les volcans. Ils paraissaient ainsi que des silhouettes qu'on distingue, la nuit, sous la lumière d'une lune pâle, sauf qu'on était en plein jour.

D'une main nerveuse, N'A-Qu'Un-Œil lissait sa barbe, sa pupille unique fixée sur les pirogues qu'on mettait à l'eau.

— On dirait qu'on se prépare à nous accueillir, émit-il d'un ton si bas que Lionel, à deux pas, ne fut point certain si son capitaine s'adressait à lui ou soliloquait.

Une dizaine d'embarcations, longues et effilées, dans lesquelles s'entassaient plus d'une cinquantaine de Noirs, pointèrent leur étrave en direction du navire. Poussées par de vigoureux coups d'aviron, elles fendaient les vagues en traçant des sillons d'écume.

— Aux arquebuses et aux pierriers! lança N'A-Qu'Un-Œil. Avec moi, je veux celui qui entend la langue des Nègres.

Un Espagnol se présenta au capitaine en compagnie de Santiago. Il avait une tête de fouine, le front haut, des pupilles fuyantes qui jamais ne vous fixaient directement dans les yeux, un nez long, une moustache fili-forme, des lèvres minces, craquelées par le sel, et quelques poils clairsemés en guise de barbe. Sa peau semblait tel un vieux cuir de marsouin, piquetée de mauvaises tavelures, et une tache de vin couvrant toute son épaule senestre ressemblait à un tatouage raté. Une veste sans manches en toile écrue s'ouvrait sur sa poitrine décharnée, aussi glabre qu'une basane*.

— C'est toi qui servais de truchement à l'ancien capitaine de la *San Pedro*? lui demanda N'A-Qu'Un-Œil.

Santiago traduisit la question à l'homme qui regardait le plancher de la dunette.

Sans lever les yeux, il approuva de la tête avec la même expression que s'il fixait son capitaine.

— *Sí, sí, era yo.*

— Comment t'appelles-tu ? *¿ Tu nombre ?*

— *Ximeno, capitán. Y yo parlato francés oune pétit* peu.

— Tu parles français, Ximeno ? On dirait du toscan. Bon, si j'arrive à entendre ce que tu dis, ce sera déjà ça. Santiago, tout de même, ne t'éloigne mie ; je sens que tes services ne seront point superflus.

— Hé, hé ! Je le pense *tambíen.* Hé, hé !

Sans répondre à l'humour du strabique, N'A-Qu'Un-Œil appuya ses deux grosses mains sur la lisse pour observer les pirogues approcher. Il souffla :

— Bien. Prenons langue avec ces drôles.

Les Africains se trouvaient maintenant à portée de voix. Dans chaque embarcation, un ou deux hommes qui ne pagayaient point présentaient au-dessus de leur tête qui un plat de fruits, qui de la viande fumée, qui des calebasses d'eau. Aucune arme n'était visible. Les marins aux pierriers, sous les ordres de Grenouille, éloignèrent les briquets des mèches, les autres matelots, à l'invite

d'Urael, pointèrent les canons de leurs arquebuses vers le ciel, mais aucun ne désarma
tout à fait.

— Ils sont coutumiers des navires, fit
observer Lionel en lorgnant les victuailles.
Ils connaissent nos besoins.

— Demande qui est leur chef, ordonna
N'A-Qu'Un-Œil à Ximeno.

Santiago traduisit l'ordre, mais le truchement avait déjà compris et lançait des
paroles incompréhensibles en direction
des Noirs. Un homme plutôt grand, sans
plus de parures que ses compagnons, se leva
pour répliquer à Ximeno. Il usait de ses
mains et de larges mouvements de ses bras
nervurés pour désigner les offrandes puis le
rivage.

— Il dit s'appeler Kankou. Son chef s'appelle Kâti. Ce dernier n'est point à bord des
pirogues, mais invite le digne capitaine des
marchands blancs à venir le rejoindre en son
tukul* au village où il sera reçu avec tous
les honneurs dus à son rang, interpréta le
truchement, moitié en espagnol, moitié en
mauvais français.

— C'est la norme ? demanda N'A-Qu'Un-
Œil à Ximeno.

Santiago répéta la question en espagnol à tous les marins de l'ancien équipage du capitaine Jaime Zúñiga :

— Est-ce que votre ancien maître se rendait personnellement palabrer et négocier dans le village nègre ? Hé, hé !

— J'ai fait trois voyages avec le capitaine Zúñiga, répondit un matelot. Une fois seulement, il a mis pied à terre et point dans le village, sur la plage. Le roi des Nègres est venu l'y retrouver avec les esclaves. Les deux autres fois, les deux maîtres se sont échangé des civilités de pirogue à bastingage.

— J'étais là aussi, la fois de la plage, répondit un autre matelot. Zúñiga n'avait point apprécié, car ça donnait trop de pouvoir de marchandage aux Nègres. Ils sont chez eux, sur la terre ferme, et se sentent plus à l'aise pour négocier. Il cracha par-dessus le pavois avant de poursuivre : car ces maudits singes noirs sont plus habiles marchandeurs que des mudéjars*.

Une fois que Santiago eut traduit à N'A-Qu'Un-Œil, ce dernier se tourna vers Ximeno et ordonna :

— Bon, alors, dis à ce Kankou qu'on accepte ses présents avec plaisir, qu'on demande la permission de laisser quelques-uns de nos hommes descendre à terre pour un avitaillement plus conséquent, surtout en eau, que, malheureusement, il n'est point dans nos coutumes de laisser un grand chef de ma sorte quitter son navire, ça porte malheur, disons, mais que si son roi, le Très Vénéré Kâti — et appuie bien sur le « Très Vénéré » — veut nous honorer de sa présence à bord, nous le couvrirons de cadeaux et négocierons avec lui l'achat de tous les esclaves qu'il nous pourra fournir. J'ai besoin de répéter ?

— Hé, hé ! Non, ça va, répondit Santiago. Je m'assure qu'il a bien saisi. Hé, hé !

À l'énoncé de la réponse de Ximeno, le costaud Kankou parut déçu, mais ne manifesta d'agressivité aucune. Il argumenta un peu, Ximeno lui répondit sans trouver nécessaire de traduire à son capitaine, puis les pirogues abordèrent le bas de l'échelle de coupée. On échangea victuailles contre quelques lames de couteau en guise de cadeaux, puis les pirogues firent demi-tour.

— *Se va* quérir *su jefe*, baragouina Ximeno dans les deux langues.

— Hé, hé ! il va chercher son maître, crut bon de traduire Santiago à N'A-Qu'Un-Œil.

Le nouveau capitaine de la *San Pedro* resta un moment songeur à observer les pirogues reparties vers le littoral. Ce ne fut que lorsque celles-ci furent sur le point d'aborder la rive qu'il tourna sa pupille vers son équipage. Le silence qui régnait à bord avait quelque chose d'irréel. Même si quelques hommes parmi ceux qui avaient déjà abordé les terres africaines étaient retournés à leurs devoirs, la grande majorité d'entre eux et la totalité des Français se tenaient toujours au bastingage. Leurs yeux étaient tournés vers cette terre, inconnue sous bien des aspects, monde où le peuple déchu des fils de Cham côtoyait, disait-on, des lions féroces et des bêtes géantes, nommées olifants, aux dents plus longues qu'un homme, avec un serpent gigantesque à la place du mufle.

— Finalement, c'est une bonne chose qu'on n'ait point à mettre pied à terre, chuchotat-il à l'égard d'un Lionel méditatif.

INTERMEZZO

— Ces pirates, adonc, s'étaient mués en honnêtes marchands d'esclaves?

— «Honnêtes» est un grand mot, Votre Seigneurie, puisque, s'ils aspiraient d'abord à négocier, les hommes de Cape-Rouge n'avaient point intention de payer de trop de biens la marchandise humaine qu'ils convoitaient. Passé un certain seuil de tractations, ils cesseraient les enchères.

— Et reviendraient bredouilles?

— Non point, Votre Seigneurie! Le bosco… enfin, le capitaine N'A-Qu'Un-Œil n'aurait jamais osé se présenter les mains vides devant Cape-Rouge. Voilà pourquoi, si le roi des Nègres refusait de transiger les esclaves en deçà d'une certaine valeur entendue par avance entre les pirates, il était prévu d'user des canons.

— Quelle était cette valeur?

— Je n'en ai point souvenir, Votre Seigneurie. Peut-être ne l'ai-je jamais su.

— Cela est sans importance.

Le magistrat à la barbe frisée, le juge Dalmeras, pose de nouveau une main sur le bras de son collègue afin de signifier qu'il désire prendre la parole. C'est lui qui s'adresse à moi :

— Monsieur, cette façon de faire de la part des pirates est-elle concevable ? Je veux croire qu'ils ne se considéraient point comme marchands de profession, mais en « usant du canon », comme vous dites, ne risquaient-ils dès lors de détruire un commerce qu'ils cherchaient à peine à mettre sur pied ?

— Que Votre Seigneurie ne se laisse point leurrer par les notions de commerce des gueux des mers. Ils étaient moins venus en Afrique par espoir de profit que par goût d'aventure. Pour eux, traverser la mer océane, découvrir de nouveaux rivages les payaient largement de retour pour leur peine. Le négoce venait en dernier. Les intentions de Cape-Rouge aussi se rencontraient facilement : envoyer la *San Pedro* sous la gouverne de son bosco afin de tester les capacités d'icelui, éloigner des têtes brûlées telles que Lionel afin d'éviter quelque conflit éventuel avec les cannibales, séparer de moitié les matelots du capitaine Zúñiga pour réduire tout risque de mutinerie…

— D'accord, je comprends.

— Toutefois, Votre Seigneurie, Cape-Rouge regretta amèrement d'avoir consenti à laisser partir la caravelle avec un équipage si important.

— Et pourquoi donc ?

— Quelques jours suivant le *caouynage* où ils massacrèrent leur cacique, les cannibales attaquèrent Ayaou.

7

— Dix lieues, seule dans une *piragua!* Ces Sauvagesses ont du courage plus que certaines de nos récentes recrues.

Cape-Rouge, du point de vue que lui donnait sa nouvelle habitation sur un surplomb rocheux à flanc de volcan, observait le môle de bois qui servait de quai temporaire aux canots. Une embarcation, creusée d'une seule pièce dans un tronc de gommier, menée par une femme nue entre deux âges, abordait le débarcadère sous le balancement des vagues douces. L'*Ouragan* mouillait non loin, le long de son abri rocheux.

— Je la reconnais, dit le Jésuite, les yeux plissés, car la mer renvoyait en éclats violents la vigueur du soleil. C'est Banna, la mère d'Anahi. Cette femme ne parle guère, sourit peu, mais il faut admettre qu'elle ne craint point l'effort.

Cape-Rouge roula entre ses mains boudinées le rouleau d'écorce sur lequel le Jésuite avait tracé le plan des chenaux qui entouraient l'îlet, chacun annoté avec sa profondeur en brasses ou en palmes, l'emplacement de chaque étoc et le nombre de pieds d'eau qui recouvraient ceux que masquait la marée haute.

— Étonnant que son mari, le détestable Baccámon, lui ait permis de s'éloigner ainsi pour rendre visite à sa fille et à son petit-fils, ricassa le capitaine. Comment se débrouillera-t-il sans personne pour laver ses ignames ?

Le Jésuite émit un petit rire en girant à demi pour redescendre en direction des maisons en contrebas. En amorçant la pente, il répliqua par-dessus son épaule :

— Elle a dû le bien remplir d'*ouicou* pour qu'il ronfle le temps nécessaire. Elle ne s'éternisera point, vous verrez.

Tandis que le moine défroqué parcourait le sentier qui le menait aux habitations, il bifurqua de quelques toises afin de passer devant une hutte fabriquée de tiges de roseaux et de feuilles de latanier. C'était là l'abri temporaire — quoique solide — qu'avait érigé Lionel afin de garantir sa famille le temps qu'il serait en mer. Le Jésuite y trouva Anahi, accroupie au-dessus d'une planche à *grager**, une plaque de bois sur laquelle étaient incrustés des cristaux de quartz. Elle y écrasait des tubercules de *yucca*, un manioc amer, pour en faire une pâte de laquelle elle extrairait par la suite un jus toxique qui, soit servirait aux hommes pour empoisonner la pointe de leurs flèches, soit serait détoxifié pour faire une soupe. Elle pourrait aussi en extirper du tapioca, de la pulpe à consommer telle quelle et, enfin, une farine appelée *couac*.

Près d'elle, nu sur un tapis d'herbes, son fils semblait surpris de voir bouger deux petites menottes devant ses yeux. Il s'en excitait en agitant de manière frénétique ses jambes torses de petiot. Son corps était entièrement rocoué de *couchieue* pour le protéger des moustiques.

— Bonjour, Anahi. Bonjour, Gédéon.

— *Mábiorgnora*, Jésuite.

La jeune femme portait la moins jolie des deux seules robes qu'elle possédait — réservant l'autre pour les grandes occasions, quand Lionel était là, par exemple — et dont un large décolleté échancré laissait voir ses seins et ses mamelons gonflés de lait. Le bas de son vêtement était relevé sur ses cuisses, dévoilant le cuivré de ses jambes et même une partie de son sexe.

— Je crois qu'il faudrait te mieux vêtir si tu veux éviter quelque emmouscaillement, Anahi, dit le Jésuite en son caribe un peu hésitant, mais devenu fort compréhensible. Tu es toujours la seule femme sur Ayaou et certains de nos hommes commencent à se languir des garces. Tout autre que moi, à voir ce qui m'est exposé ici, pourrait s'abandonner à la concupiscence.

Au lieu de s'offusquer, elle ricana en répliquant :

— Penses-tu ? Aucun n'aurait courage de contrarier mon époux. Chacun connaît ici son caractère rancuneux et nul ne possède son habileté à manier les longs couteaux.

— Ne tente point les démons, Anahi.

Elle se leva en renvoyant d'un mouvement brusque le bas de sa robe sur ses chevilles.

— Que Mápoya me batte avec cette saloperie de vêtement ! Pourquoi m'oblige-t-on à me revêtir de tissu ainsi qu'une tortue de sa carapace, alors que je n'ai à me prémunir de rien ?

Le Jésuite prit cet air à la fois contrit et compatissant dont usent les vrais moines pour exprimer la fatalité. Il souriait à demi pour répliquer :

— *Amanle álapakeíli*. Tu es jeune; tu n'as point encore grande vertu. Mais tu dois apprendre à te comporter ainsi que toute dame chrétienne mariée à un homme chrétien.

— Tu ne m'as point baptisée et Lionel m'a épousée selon les rites de nos traditions.

— Mais tu as choisi de vivre sous son toit, non sous celui de ton père.

Elle leva les paumes au ciel en signe d'abandon puis se pencha pour saisir l'enfant. Ce dernier accueillit les bras de sa mère d'un doux babil.

— C'est pour me donner cette leçon de morale que tu as parcouru tout ce chemin, Jésuite? Voilà bien du mal pour mie. Cela a dû te donner soif. Viens. J'ai du vin que tu prises tant à l'intérieur.

— Non, j'ai du travail. Et je ne suis point venu pour te sermonner, mais pour t'aviser que j'ai vu Banna amarrer sa *piragua* au môle. Va l'accueillir.

— Ma mère? Seule?

— On peut dire qu'elle ne craint point les vagues.

— Elle est accoutumée! Elle aime ce genre de longues balades en *piragua*. J'espère toutefois qu'elle n'est point venue m'annoncer une mauvaise nouvelle.

— Bon, tu vas vite le savoir, fit le Jésuite en s'engageant de nouveau sur le sentier en direction de la grève, la voilà déjà. Je te laisse. Bonjour, Banna.

La femme, soufflant ainsi qu'un physétère échoué, n'eut qu'un bref sursaut de la commissure des lèvres en guise de sourire. Elle se dirigea droit sur sa fille qui l'accueillit, la mine partagée entre le plaisir et le doute.

— Bonjour, mère! Quelle nouvelle m'app…?

— Donne-moi à boire.

— Euh… oui, oui, bien sûr. Tu veux voir ton petit-fils? Tiens. Prends-le pendant que je vais te remplir un *coy*.

Banna regarda à peine l'enfant qu'Anahi plaqua dans ses bras.

— Fais vite, j'ai soif.

Anahi entra dans la hutte et s'empressa de puiser dans un *rita*, un petit muid fait du fruit du *camoury*, une tasse d'eau fraîche. Elle ressortit incontinent pour trouver sa mère qui observait l'enfant d'une expression impossible à définir. «Aime-t-elle son petit-fils? se demanda la jeune femme. Aime-t-elle malgré tout cet enfant qui est cause du déshonneur de Baccámon?»

— Il sourit, maintenant, dit Anahi en offrant le *coy*, lui aussi creusé dans une calebasse. Si tu le caresses sous le menton, il sourit.

En fait, elle n'était point sûre encore qu'il s'agissait de sourires et non de grimaces, mais elle s'efforçait d'imprimer un peu d'attendrissement dans l'expression de sa mère. Cette dernière, toutefois, resta à fixer le bébé sans démontrer plus d'émotivité. L'épouse de Lionel revint donc à sa préoccupation première et demanda:

— Quelle nouvelle m'apportes-tu pour t'être donné ainsi autant de mal pour me venir trouver? Père va bien?

Pour toute réponse, de l'index, Banna désigna la robe puis la hutte.

— Voilà que tu te couvres de gossapin comme ces étrangers! Et ça? C'est là que tu habites? Ce toit, qu'est-ce que c'est?

Anahi se retourna pour constater ce que sa mère lui indiquait, mais elle ne vit guère que le feuillage et les cordes de *maho* usuels.

— Qu'a-t-il, le toit, mère? demanda la fille en s'intéressant à une feuille plus large, excentrée, qui pouvait donner illusion d'une construction improvisée. Que me…?

— Si c'est pour une hutte de ce genre que tu as quitté ton village, tu aurais tout aussi bien pu rester avec nous.

L'adolescente revint vers la femme.

— Tu sais que j'ai simplement suivi mon mari, mère, le… père de ton petit-fils. Tu sais les circonstances. Ne me…

Anahi tendait les mains pour reprendre son enfant, mais Banna le retint contre elle, le *coy* tendu, lèvres plissées.

— Qu'est-ce que c'est que cette eau que tu m'offres? Elle est croupie ou quoi?

La fille n'avait point remarqué sa mère boire au vaisseau. Elle s'excusa.

— Mais… non, pourtant. Donne, je vais te servir de…

— Non, non, goûte d'abord, dit Banna. Je ne voudrais point que tu penses que je suis capricieuse.

— Mère! Jamais je n'ai pensé de toi que…

— Goûte cette eau, je te dis.

Intriguée, s'efforçant de ne point froncer les sourcils afin d'éviter de manquer de respect à la mine outragée de sa mère, Anahi trempa les lèvres dans le *coy*. Ne trouvant miette de quelque forme de rancissure que ce fût, elle but une gorgée plus grande et c'est lors qu'elle distingua, peut-être, un vague arrière-goût… un aspect plutôt… grumeleux…

— En… en effet, mère. Excuse-moi. On dirait qu'il y a… quelque chose. Je ne sais. Laisse-moi te servir un autre *coy*.

— Non, ça va. Je n'ai plus soif. Assieds-toi.

— Tu es certaine? Ça ne…

— Assieds-toi, je te dis.

Déjà, Banna s'accroupissait au sol près de la planche à *grager*, tenant toujours l'enfant dans ses bras, mais évitant de le trop regarder. Anahi, de plus en plus intriguée, plia les genoux pour imiter sa mère. Toutefois, perdant l'équilibre, elle dut se rattraper d'une main.

— Pardon, dit-elle. Je me sens si heureuse de ta visite, je suis si…

— Assieds-toi.

L'adolescente porta une main à son front.

— Qu'est-ce qui m'arrive, je me sens… étourdie…

— C'est l'effet de la poudre. C'est sans danger. Tu vas dormir.

— La… poudre ? s'étonna Anahi tandis que, sans s'en rendre compte vraiment, elle s'étendait sur le côté.

— Sinon, ils te tueraient, Anahi, tu comprends ?

— Me… tuer ? Qui, mère ? De… de qui parles-tu ?

Banna se pencha à l'oreille de sa fille qui peinait à garder les yeux ouverts.

— Les guerriers, Anahi. Cette nuit, ils investiront l'île ; ils massacreront tout ce qui n'est point kalinago ou qui ne l'est qu'à moitié. S'ils te trouvaient entre eux et ton fils, ils te tueraient, ma fille. Je ne pourrais point le supporter. Je t'aime trop, mon enfant.

⚓

Cape-Rouge ne permettait qu'à quelques hommes de rester à bord de l'*Ouragan* quand lui-même n'y était point : les calfats affairés à renouveler le brai* dans les coutures des bordages, les charpentiers occupés à réparer ou à renouveler les manœuvres, et quelque autre ouvrier dont le travail exigeait la présence sur les ponts. Hormis ces exceptions, même pour les gabiers affectés au ravaudage des voiles, le travail se faisait sur le quai.

À nuit fermante, nul n'était autorisé sur le navire, à moins que Cape-Rouge lui-même ne s'y trouvât. Ce soir-là, toutefois, les trois calfats Otavio, Gustavio et Ramón, avec l'autorisation de leur capitaine, avaient élu de dormir dans leur *hamaca* sous le gaillard de proue, car la construction de leur habitation à terre n'était point encore entreprise et la pluie menaçait.

— Au lever du jour, annonça Ramón qui agissait à titre de maître-calfat, tandis que ses compagnons et lui se balançaient déjà dans leur couche de gossapin, on terminera l'étoupage de l'étambot avant de déjeuner.

— Pourquoi c'te faire d'chauffer l'goudron et de l'laisser fraîchir ensuite pendant qu'on bectera*? demanda Gustavio de sa voix bourrue habituelle.

— Parce qu'on profitera du feu pour chauffer les graines de cacao que j'ai grappillées sur le plancher quand on a vidé les cales du dernier butin, répondit Ramón, et qu'on se pourra délecter de *xocolatl* pour déjeuner.

Otavio éclata de rire en secouant si fort son *hamaca* que les cordes grincèrent contre les esses du plafond.

— Du chocolat! s'exclama-t-il. On boira du chocolat ainsi qu'un…

Il s'interrompit si mal à propos que Gustavio se tordit dans sa couche pour tenter d'apercevoir son compagnon du coin de l'œil. Mais les nuages denses qui avaient déjà masqué la lune ne permettaient miette de voir à deux palmes. Le petit bout de chandelle qui avait éclairé la proue le temps de s'installer pour la nuit, par souci d'économie, avait déjà été soufflé par Ramón. Gustavio s'étonna:

— Eh ben, 'tavio? On boira l'chocolat ainsi qu'un quoi?

Un bruit de pieds nus sur le bois…

— T'es r'levé, 'tavio? Qu'est-ce qu'y a?

Silence. Un chuintement. Un petit glouglou.

— 'tavio? T'es endormi en jactant ou quoi? Ramón, tu dors, toi?

Silence.

Pieds nus sur le bois.

Gustavio se redressa à demi, les mains sur le rebord du *hamaca*, prêt à sauter sur le plancher… Il s'immobilisa de nouveau. Il sentait une présence à la tête de sa couche, il en était acertainé. Le calfat avait toujours profité d'une ouïe fort fine et il percevait, quasi inaudible, une sorte de halètement retenu, lourd, menaçant, un autre glissement sur le bois, un cliquettement ainsi qu'un pendentif se balancerait sur la peau, un *zemí* d'os, par exemple, ou un collier de dents… Il retint son respire, plissa les yeux comme pour mieux percer l'obscurité.

À la seconde où il élut de crier, une main s'appliqua avec force contre sa bouche, renversant sa tête en arrière, le plaquant dans son *hamaca*. Il se débattit une seconde, le temps d'estimer inutile de lutter contre le bras beaucoup plus fort que le sien, de penser à se laisser glisser du *hamaca* pour échapper à la poigne… puis de ressentir une forte lancination au thorax. Une deuxième douleur succéda à la première, une troisième le meurtrit à l'abdomen, une quatrième lui vrilla de nouveau la poitrine tandis qu'il y portait la main. Ses doigts se refermèrent sur un objet dur baigné de liquide chaud. Il reconnut la lame d'un poignard qui s'extirpait de son sternum, sans toutefois ressentir le mouvement dans ses chairs, car son tronc entier ne renvoyait plus qu'une immense souffrance.

Il mourut.

— La maison qui flotte nous appartient, murmura une voix en caribe.

— Dommage que nous ne sachions user seuls de ces bouches à tonnerre appelées «canons», répliqua une autre voix sur le même ton, car nous pourrions réduire le village de ces *noúbis* en gravats.

— L'important est que les Blancs ne puissent en user non plus et, surtout, qu'ils ne puissent fuir à bord du *canobe* géant.

— On place des tireurs avec les arquebuses au garde-corps?

— Les moins habiles au combat, ceux qui souffrent de fièvre ou d'une blessure.

— On n'y voit mie, protesta une voix plus loin. À quoi bon disposer des tireurs sur la maison qui flotte au lieu de profiter de leurs bras pour poignarder les alités, leurs malades à eux?

— Parce que quand flamberont leurs vilaines constructions de bois tout à l'heure, les tireurs auront toute la lumière requise, tout l'espace nécessaire, pour coucher en joue les Blancs qui, éventuellement, échapperont à nos *machanas* et à nos *boutus*.

— Alors, pressons. Il me tarde d'abreuver la terre du sang de ces démons.

Quand, silencieux et invisibles, la douzaine de Kalinagos qui avaient envahi le navire redescendirent l'échelle de coupée afin de rejoindre les autres guerriers qui les attendaient dans les *canobes* en contrebas, les premières gouttes de pluie commençaient de marteler le pont.

Cape-Rouge aimait la musique des averses tropicales. Particulièrement sur les navires où elle étouffait les sons malplaisants et amplifiés par la promiscuité des hommes frustes qui formaient ses équipages : toux, rots et pets des veilleurs, ronflements des dormeurs, exclamations des joueurs de dés… Aussi, à terre, même en cette petite maison qu'il avait fait bâtir à l'écart, même relativement isolé du bourg en éclosion, il se plaisait à ouïr le fracas des feuilles frappées d'eau, le frémissement de la terre, l'égouttement du toit, le roulement des rus enflés de pluie… Une certaine sérénité s'emparait alors de lui et l'aidait à s'endormir plus profondément.

Pas ce soir-là.

Dans l'après-midi, il avait aperçu Banna, l'épouse de Baccámon, après une courte visite à sa fille, repartir avec Gédéon, le fils de Lionel, dans les bras. Le Jésuite, en la croisant, avait bien tenté de s'informer à la femme des raisons qui la poussaient à repartir avec son petit-fils, mais le caribe du moine s'avéra trop hésitant ou Banna fit semblant de n'entendre mie, si bien qu'elle repartit à bord de sa *piragua* sans plus d'explication. Intrigué, le Jésuite était ensuite remonté jusqu'à la hutte d'Anahi afin d'en apprendre davantage de la bouche de la jeune fille, mais il trouva cette dernière si fort endormie qu'il ne parvint point à la tirer du sommeil.

— Droguée, à n'en point douter, avisa-t-il incontinent son capitaine qu'il vint rejoindre en sa maison.

— Envoie immédiatement des hommes dans un youyou pour rattraper cette femme du diable et qu'ils la ramènent séance tenante.

Mais Banna avait déjà pris trop d'avance et les marins s'avérèrent moins habiles qu'elle pour nager à contre-courant, si bien qu'ils revinrent bientôt bredouilles tandis que le soleil plongeait au couchant, interdisant toute autre tentative avant la noirceur.

— La peste de ces abrutis de marins espagnols! grommela Cape-Rouge. Vivement le retour d'Afrique de nos hommes!

— Robert était parmi eux, tempéra le Jésuite.

— Robert est un excellent coq, mais un fort pauvre avironneur.

Voilà l'incident qui maintenait Cape-Rouge éveillé: Banna avait drogué sa fille pour ravir son petit-fils et le ramener sur Acaera. Tout était à craindre pour l'enfant. Que complotait-elle? Comment Anahi réagirait-elle à son réveil? Et Lionel, à son retour?

Il avait beau se dire que, dès potron-minet, il appareillerait vers la Licorne avec l'*Ouragan* et se présenterait lui-même pour demander des éclaircissements au sujet de l'affaire, il avait beau tenter de se convaincre que, pour le moment, il était inutile de se ronger les sangs, il ne parvenait point à atteindre l'apaisement de l'esprit pour trouver le sommeil. Peste des cannibales! Toujours à ourdir quelque diablerie entre eux, à tramer quelque intrigue. Si ce n'était de François, il n'accorderait guère foi à leur alliance et cinglerait vers une île aux voisins moins conjurateurs.

Il allait souffler la flamme morne de sa chandelle de gras de baleine quand il lui sembla percevoir un mouvement dans le reflet vitré de sa fenêtre. Quelque dégoulinade de pluie, sans doute, se dit-il tout en tendant la main vers le pétrinal miniature sur la table et qu'il avait pris accoutumance de laisser traîner à portée.

— J'adore cette arme moderne, laissa-t-il échapper entre ses lèvres. J'adore ce pistolet, si petit, si maniable, si facile à garder partout près de soi.

Il approcha l'étoupille* de la flamme de la chandelle, attendit qu'une lueur plus vive indiquât qu'elle s'embrasait et retira l'embout en le maintenant attisé du bout des lèvres. Il appuya doucement sur la détente pour s'assurer que le mécanisme ne souffrait point de quelque grippage l'empêchant d'entraîner la mèche vers le bassinet puis, satisfait, souffla la bougie.

Juste avant que ne meure la flamme, il eut le temps d'apercevoir la porte voler en éclats et le visage peinturluré d'un Kalinago qui bondissait dans la pièce. Il visa la poitrine au jugé. À la lueur du pulvérin prenant feu, il sut avoir miré juste. Le coup partit suivi incontinent par le fracas d'un corps s'abattant sur le sol.

Avec cette souplesse qui étonnait toujours venant d'un homme de sa corpulence, Cape-Rouge se jeta à terre dans un roulé-boulé qui lui permit d'atteindre une porte au fond de la pièce au moment où s'ouïssaient le son mat d'une flèche contre un mur et celui d'un *boutu* enfonçant la table. Lorsqu'il se remit debout, son pied poussait déjà l'huis et son sabre était tiré du fourreau.

Une pluie chaude l'accueillit. En contre-bas, une habitation s'enflamma tout soudain, perçant la sombreuseté d'une lueur qui lui permit de distinguer les quatre ou cinq silhouettes qui s'activaient à l'entrée de sa maison. Il ouït un pas leste derrière lui, trahissant qu'un guerrier plus rapide que les autres l'avait déjà suivi par la seconde porte. Fort de sa science des combats rapprochés, sans même avoir à se retourner, il sut la position exacte de l'adversaire dans son dos. Sabre tenu à deux mains, lame pointée vers l'arrière, courbant à peine le corps vers l'avant, il porta un coup à l'aveugle, si rapide, si fort, si juste, que le Kalinago, avant même de comprendre qu'il avait rejoint sa victime, s'écroulait d'un bloc, touché au cœur.

Cape-Rouge s'absorba dans un buisson de *maurou* afin d'échapper aux hommes qui, deux par l'intérieur de la maison et trois par l'extérieur, fonçaient dans sa direction. L'averse et la brise qui agitaient le feuillage masquèrent son mouvement, l'obscurité, ses pistes, mais les habiles chasseurs kalinagos ne mirent guère de temps à repérer son passage dans les fourrés.

— *Kabaochátiti!* hurla une voix. Qu'on le frappe bien fort!

Un premier guerrier plongea dans le buisson, son *boutu* tenu haut au-dessus de la tête. Il disparut un bref instant, ahana, puis revint en bondissant à reculons, son arme toujours brandie à bout de bras. Il gira à demi, exposant à la lueur pâle de l'incendie l'ouverture béante d'où s'échappaient ses intestins. Il s'écroula.

Le Kalinago qui s'apprêtait à sauter à sa suite dans le buisson retint son geste la seconde nécessaire pour permettre à ses trois autres compagnons de le rejoindre. D'un muet accord, les quatre hommes s'ouvrirent un passage, deux au *boutu*, deux à la *machana*. La pluie redoublait alors de force, étouffant plus encore la lumière, les sons, les odeurs, les mouvements…

On ouït le choc sourd d'un *boutu* qui manquait sa cible en heurtant le sol. Dans le matraquage de l'averse se distinguèrent le chuintement sinistre des chairs qui se déchirent et le râle d'un homme qui expire. Un autre cannibale venait de passer de vie à trépas.

— *Lallêtêtou!* lança un Kalinago, tant par vantardise que pour se donner courage face à cet adversaire qu'il ne voyait mie. C'est là qu'il meurt!

Il y aboutit presque lorsque sa *machana*, maniée au jugé, heurta une cible dans un bruit d'os qui se rompt. Il chanta victoire avec un cri tel qu'on eût dit qu'il venait d'abattre à lui seul toute une tribu.

Mais c'était là réjouissance un peu hâtive. Cape-Rouge, qui s'était accroupi depuis qu'il avait pénétré le buisson, l'épaule senestre en bouillie, se releva d'une brusque détente pour frapper d'estoc à deux reprises. Le Kalinago trop empressé porta la main à sa jugulaire, crachant le sang ainsi que vache pisse, tandis qu'un deuxième guerrier s'effondrait, touché au cœur. Lorsque le pirate se retourna afin de pousser une botte au dernier de ses adversaires, le *boutu* de celui-ci fondait déjà vers lui. Cape-Rouge vit venir le coup, cambra le dos, mais ne put parer tout à fait. Sa tempe accusa le choc ainsi que la foudre s'abat sur le mât d'un navire au mouillage : il vit l'éclair, ouït le tonnerre puis s'écroula enfin au centre du *maurou* ruisselant de pluie.

Il avait fallu sept hommes pour en venir à bout.

— Et les cannibales eurent ainsi raison de tout ce qui restait de l'équipage de Cape-Rouge ?

— Ils les tuèrent tous, en effet, Votre Seigneurie, tous les Blancs : Robert, le coq, Joseph, le chirurgien, le gros Poing-de-Fer, les Espagnols…

— Et cet épouvantable moine blasphémateur. Voilà qui est justice divine !

— Il m'est chagrin de devoir déplaire à Votre Seigneurie, mais deux hommes échappèrent à la tuerie : le capitaine Cape-Rouge lui-même, qu'on épargna, car sa farouche résistance avait attiré estime — et il représentait un prisonnier de choix —, et le Jésuite. Ce dernier, par quelque promenade nocturne fort à propos, surtout sous la pluie, s'était éloigné du bourg et avait assisté au massacre le long d'une sente qui menait au sommet du morne.

— Ce coquin avait pactisé avec le diable, à n'en point douter. Quelle idée de s'isoler ainsi en un moment si opportun ? Était-il au courant du massacre à venir ? L'avait-il soup-çonné ?

— Non point, car il en aurait avisé incon-tinent son capitaine. Que Votre Seigneurie me pardonne, mais le Jésuite s'était éloigné discrètement de l'agglomération accompagné d'un marin espagnol — Ah, tiens ? Cela fai-sait trois hommes épargnés, plutôt —, un marin espagnol, adonc, nommé Fulgenzio, un brave garçon de dix-neuf ou vingt ans, un peu délicat, fort gracieux et rieur, et avec qui le moine échangeait des éléments de prières que vous ne trouverez point en les Saints Évangiles.

Le président de la Cour se signe rapide-ment sans oser toiser ses magistrats. Sa bouche mi-ouverte démontre que, s'il aspire à verbaliser son dégoût, il n'y parvient mie. Le juge qui m'interroge reprend donc sans interruption :

— Ils ont donc tué tous les autres ?

— Hormis les non-Blancs, c'est-à-dire quatre ou cinq ouvriers indiens et la jeune Anahi qui se montra fort en peine de ne plus retrouver son enfant.

— Qu'advint-il du pirate Cape-Rouge ?

— Les cannibales l'emmenèrent en leur île où ils élurent de le torturer pendant plusieurs jours, davantage, je crois, par vindicte, que pour offrir ses souffrances à Mápoya. Quoique, certains *bóyés*, en toute bonne foi, se figuraient le martyre du pirate agréable au démon maudit et croyaient que ce dernier les voudrait bien épargner — car on continuait de mourir de vérole et de froid de poitrine en tous les villages de l'île.

— Et leur autre démon d'importance, le… comment s'appelle-t-il déjà ? Celui qu'ils considèrent comme bienveillant.

— Chemíjn.

— Voilà. Les sorciers honoraient-ils aussi cette déité païenne du martyre de Cape-Rouge ?

— On lui réservait, disons, la plus belle part, le sacrifice ultime : la mort du flibustier et la consommation de sa chair. On retardait à dessein ce grand *caouynage* afin que perdurent les souffrances du captif et que, d'autant, on s'attire les faveurs de Mápoya.

Le président de la Cour, encore perturbé par les agissements immoraux du Jésuite, ayant enfin retrouvé la parole, demande :

— Qu'advint-il du… Jésuite — Grand Dieu, j'ai peine à prononcer ce nom sans me figurer trahir la mémoire du père Ignace de Loyola* —, qu'advint-il de cet adepte de Satan, ce prêtre défroqué qui a échappé aux cannibales en compagnie d'un... autre non moins digne d'être excommunié?

— Le matelot et lui se sont enfuis de l'autre côté de l'îlet par la forêt. Puisque le moine en avait établi la carte des rives et des abords, il était fort familier avec la géographie de cette terre, et il savait exactement vers où il courait.

— Un havre?

— Temporaire. Une plage étroite dans une crique discrète. Il espérait s'y terrer un moment avant de revenir au bourg détruit. Il comptait sur quelque barque ou youyou épargné par la fureur des cannibales pour s'enfuir.

— Ils s'en sont donc tirés, lui et son... émule, de cette façon?

— Point exactement. Votre Seigneurie est instruite que les voies du Bon Dieu prennent parfois des avenues dont le sens est difficile à saisir pour les pauvres mortels que nous sommes. Notre Créateur usa pour le Jésuite et Fulgenzio de ces tours dont Il se plaît à nous étonner.

— Qu'advint-il d'eux?

— De l'autre côté de l'îlet, sur la plage qu'ils avaient rejointe sains et saufs, voilà que les deux pirates trouvèrent une chose qui les ébaubit fortement.

— Eh bien?

— Dans un panier de jonc attaché à la branche d'un gros palétuvier, garanti des moustiques par un rideau de gaze, seul et emmitouflé dans ses langes, dormait Gédéon.

8

Pour Lionel, la scène relevait plus de la bouffonnerie que du commerce. D'abord, la simple tenue du roi des Nègres portait à ris, avec ses grosses fesses noires et nues qui débordaient du petit banc en bois sur lequel il était assis, son pagne étroit fait de peau de bête et qui masquait à peine ses turpitudes*, sa coiffe à la livrée si extravagante que des plumes battaient devant ses yeux au moindre souffle de vent, ses dizaines, voire ses centaines de bracelets en os qui tintinnabulaient sur ses bras, du coude au poignet, et sur ses jambes, du genou à la cheville.

— Votre Majesté, répétait N'A-Qu'Un-Œil pour la nième fois, vous ne pouvez nous vendre ces esclaves quatre fois le prix que nous en recevrons une fois dans les Amériques.

Les pirates avaient accueilli la délégation sur le tillac, dix Nègres à bâbord, dix Nègres à tribord, le roi et ses conseillers au centre.

Les marins, quant à eux, observaient la scène du gaillard de proue ou de la dunette, hormis Ximeno et Santiago, qui agissaient encore à titre de truchements auprès de N'A-Qu'Un-Œil, et Lionel, appuyé au râtelier du grand mât, qui continuait à jouer son rôle d'économe en notant les données de la transaction sur un morceau d'écorce.

— Ce sont là des esclaves fort en santé, argumenta Kâti, le roi des Africains, par la bouche de Ximeno dont le mauvais mélange d'espagnol et de français était traduit à son tour par Santiago dans l'oreille de N'A-Qu'Un-Œil.

— Peut-être, répliqua ce dernier, mais en santé ou malades, si je ne peux en obtenir profit, je ne vois point l'intérêt de poursuivre ce commerce.

— Nous avons perdu plusieurs hommes courageux lorsque nous avons entrepris d'envahir le pays de ces Assante, insista le roi. Quel intérêt de dilapider les forces de nos valeureux guerriers si nous ne pouvons retirer le juste prix de leur sacrifice ?

— Vos guerres sont donc exclusivement commerciales ? demanda N'A-Qu'Un-Œil qui n'entendait mie à la politique.

— Toute guerre procède de considérations économiques, argua le roi des Nègres en haussant les épaules.

L'ex-bosco devenu capitaine soupira bruyamment — ce qui était fort inconvenant pour le roi — et répéta son offre en majorant un tantet.

— Un baril d'eau-de-vie par esclave, plus un collier d'Indiens, cinq haims*, une hachette, et pour chaque sélection de vingt-cinq esclaves, nous rajoutons un lot de bon coton des Amériques, du bois de teinture comme vous n'en avez jamais tiré de vos forêts et, pour faire bonne mesure, quarante boulets de fer que vous fondrez à votre guise pour en fabriquer ce qui vous semblera bon.

— Les Portugais nous offrent deux tonneaux de leur vin sucré par captif, trois fois le nombre d'outils proposés, et plus encore pour les autres denrées, sauf…

Ximeno attendit un complément à la phrase qui ne vint point, aussi traduisit-il avec la même suspension théâtrale.

— Sauf ? s'impatienta N'A-Qu'Un-Œil, une fois la réplique traduite par Santiago.

Kâti promena un regard morgue sur l'assemblée de pirates, mais son souris mi-daubeur trahissait qu'il s'agissait plutôt d'une apparence qu'il se donnait. La vraie question était : qui cherchait-il à baigner d'outrecuidance ? Ceux avec qui il commerçait ou ses propres sujets ? Il peinait à soulever les paupières lorsqu'il posa les yeux dans la pupille unique de N'A-Qu'Un-Œil.

— Sauf, répéta-t-il, lorsque les Portugais se proposent de nous aider à mâter une tribu ennemie. Alors là, ils nous accordent ce que vous soumettez.

— Vous avez des tribus ennemies à mâter ?

— Il y en a toujours, exprima Kâti.

Il ne regardait plus N'A-Qu'Un-Œil, mais jouait la désinvolture en prisant une poudre inconnue qu'il portait à ses narines entre le pouce et l'index. Incontinent, les larmes lui venaient aux yeux et il semblait s'en délecter.

Puisque le capitaine des pirates ne semblait plus savoir comment poursuivre le reste de l'entretien, ce fut Santiago qui murmura à son capitaine :

— Si on suit ce misérable à terre, peut-être risque-t-on le traquenard.

— Ou de nous alimenter plutôt à même la source des esclaves, suggéra Lionel qui venait de quitter le râtelier pour se glisser entre son capitaine et Santiago.

— Demande à Ximeno, ordonna N'A-Qu'Un-Œil au strabique.

— Jamais le capitaine Zúñiga ne reçut proposition de la sorte, répondit le truchement.

— J'entends vos interrogations et les partagerais si j'étais à votre place, dit tout à coup Kâti, mais vous n'avez mie à craindre. Il vous suffira d'user de votre navire pour entrer en une rivière fort profonde où vous nous viendrez rejoindre, ensuite, avec vos bouches à tonnerre, vous ferez pleuvoir le fer sur quelque village Ihoho ou Ika. Pendant ce temps, ayant contourné les *tukuls* par l'arrière, nous accueillerons les fuyards qui se viendront jeter dans nos bras.

⚓

— Dieu a eu pitié de ce marmouset et, ainsi qu'Il le fit pour Moïse, l'a préservé des Sauvages en le dissimulant au bord de l'eau… sauf que, pour lui, on a pendu la banne* à un arbre.

Fulgenzio, face à la mer, mains sur les hanches, se donnait des airs de preux, de lascar, mais ses épaules étroites, son dos bien lisse, sa grosse tête chevelue et bouclée trahissaient le bravache qui s'oblige à masquer ses insuffisances sous des parades de coq. Il releva la jambe dextre en maintenant son équilibre sur la senestre tandis qu'il s'appliquait à gratter les escarres engendrées par les puces et par sa fuite nocturne, pieds nus dans la forêt. Son seul vêtement était un haut-de-chausse mâchuré à la hauteur des genoux.

Derrière lui, yeux au sol à la recherche de traces de pas que le jusant aurait pu épargner, le Jésuite grommelait :

— Et, comme pour Moïse, le panier n'est point apparu du néant : quelqu'un l'a amené en espérant soit l'y venir prendre plus tard… soit qu'*un autre* l'y vienne prendre. Vois la marque sur le tronc de ce palétuvier : on y a attaché une embarcation. Banna, la grand-mère du bébé, moins mauvaise que je ne l'ai d'abord crue, informée du massacre que nous connaissons maintenant, a enlevé son petit-fils pour le venir cacher ici.

Fulgenzio, de nouveau sur deux jambes, tordit le tronc vers l'arrière pour croiser le regard du moine. Éclairées à contre-jour par les rayons à ras mer du soleil levant, les boucles de ses cheveux créaient, autour de sa tête, une auréole enflammée. Il dit :

— Mais si nous ne l'avions trouvé, c'eût été là grande cruauté. Le bébé serait mort de faim ou mangé par les bêtes.

— Banna est venue le cacher céans, soit ce matin fort tôt, soit hier à la brune, après avoir fui nos canots. Peut-être a-t-elle usé de quelque drogue dont elle a le secret afin que l'enfant dorme jusqu'à ce qu'on le vienne récupérer. Mais, d'évidence, il n'est point prévu que l'enfant reste seul trop longtemps. Voilà pourquoi, avant peu, viendra quelque *piragua* qui nous pourrait fort servir. Viens là dans ces fourrés qu'on ne nous surprenne. M'est avis que notre expectation ne durera guère.

Le prêtre défroqué et son compagnon en étaient à se confectionner un tapis de feuilles quand le bébé, soudain éveillé, réclama une tétée à force pleurs. Fulgenzio, en se ressouvenant sans doute de quelque douceur de sa mère, fit sucer à l'enfant son doigt trempé dans le miel d'une ruche proche. Le nourrisson finit par se calmer et se rendormir. Les deux pirates, épuisés par les émotions et leur fuite dans la forêt, l'imitèrent.

Une heure à peine s'était écoulée lorsqu'ils furent tirés du sommeil, non point par de nouveaux pleurs, mais par les heurts de rames sur un pavois et le clapotis de vagues contre une coque. À ce moment, le soleil dardait sa chaleur directement sur la plage et des nuages se formaient à l'horizon, prélude aux averses du soir, tel qu'il en était toujours en cette saison précédant celle des grandes pluies.

Le Jésuite porta l'index sur ses lèvres pour inviter Fulgenzio à garder silence, se défit du crucifix autour de son cou et, retirant la gaine de laiton qui composait les jambes du Christ, dévoila une lame au poli impeccable, avec tranchant double et gouttière au centre.

Deux constatations creusèrent des fronces aux sourcils du moine : d'abord, la personne qui tirait le tronc de gommier creusé était seule, ensuite, ce n'était point Banna. Il s'agissait plutôt d'un Kalinago dans la mi-trentaine — assez vieux, donc —, le corps au rocouage affadi, le *couchieue* datant de plusieurs semaines déjà, sans tatouage au *nicolai*, ce qui était facile à relever puisqu'il allait nu ainsi que la main. Sans plumes ni *caracoli* ni bracelets, l'homme, pour tout apparat, ne portait que deux cordelettes de *maho* : l'une nouait ses longs cheveux qui tombaient jusqu'à ses reins, l'autre, à la ceinture, retenait l'éternel coutelas de silex. De l'intérieur de la *piragua*, on voyait poindre l'extrémité d'un arc.

Quoiqu'il eût malaisément pu prétendre reconnaître tous les hommes des quatre villages d'Acaera, le Jésuite ne croyait point avoir jamais croisé ce Naturel. Se pouvait-il qu'il s'agisse là de quelque Kalinago d'une autre île ?

Une fois son embarcation tirée sur la grève, l'homme arpenta la rive, les yeux à dextre comme à senestre, visiblement à la recherche de quelque chose. Une banne de jonc avec un enfant dedans, par exemple. Comme de juste, il la repéra puis, sans démontrer plus de satisfaction que de déplaisir, plus de hâte que d'hésitation, il s'approcha de la branche, son couteau glissé entre les dents au cas où il ne saurait venir à bout du nœud. Ses doigts touchaient à peine les fibres de *maho* quand il sentit une présence dans son dos.

Il n'eut point le temps de porter la main à sa lame qu'on la lui arrachait incontinent, cisaillant la commissure de ses lèvres dans le mouvement. Il en ressentit une brûlure vive qui précéda de peu le goût du sang envahissant sa bouche.

— Retourne-toi lentement, ordonna le prêtre dans son mauvais caribe, son poignard appuyé contre la gorge du Kalinago. Je répète : lentement.

L'homme obtempéra, paupières arrondies, aussi surpris qu'apeuré. Il jeta de rapides coups d'œil autour de lui ainsi qu'il se serait cru entouré d'une meute de *noúbis* blancs. En passant une langue nerveuse sur ses blessures, il balbutia :

— Vous avez... échappé à l'attaque ?

— C'est moi qui pose les questions ! rétorqua le moine. Qui es-tu ? Pourquoi viens-tu chercher cet enfant ? Où est Banna ?

Le Kalinago, encore sous le choc, hésitait. Il sentit la pression de la lame se faire plus prononcée contre sa gorge.

— Réponds vite, grinça le Jésuite. Je ne suis guère patient.

— Je... je m'appelle Macoa. Je ne suis point de ceux qui ont attaqué les vôtres, cette nuit. Je suis de l'île Imoúgaribonê, non d'Acaera.

— Imoúgaribonê, La Beauté, est loin d'ici. Qu'es-tu venu faire sur Ayaou ?

— Je suis parti tôt ce matin pour récupérer cet enfant. C'est pour le protéger de ceux qui le veulent tuer. Je sais qu'il est le fils de l'un des vôtres. Vous voyez ? Je ne suis point un ennemi.

— Comment savais-tu que tu trouverais l'enfant ici ?

— Banna, sa grand-mère, m'en avait avisé. C'est aussi pour elle que je fais ce…

Nerveux, le Jésuite n'avait point remarqué que son poignard commençait de tirer du sang de la gorge de Macoa. Ce dernier, le corps de plus en plus arqué vers l'arrière, ne parvenait plus à parler. S'avisant de l'inutilité d'autant de hargne, le pirate relâcha un peu le coude, ce qui eut pour conséquence de calmer également le Kalinago. Celui-ci reprit :

— Banna est ma cousine. Quand nous étions jeunes, nous étions promis l'un à l'autre, mais une alliance avec Acaera, à cette époque, a fait en sorte que plusieurs parmi nos femmes ont pris époux chez les guerriers du cacique d'alors, Kairi. Banna et moi sommes tout de même restés proches, et nous nous revoyons de temps à autre, ici même en cette plage retirée, pour prendre des nouvelles de nos familles respectives.

— Baccámon est cocu, oui.

Sans tenir compte de l'ironie du prêtre, Macoa poursuivit :

— Il y a quelques jours, sur Imoúgaribonê, il y a eu *caouynage* auquel furent conviés les guerriers d'Acaera. Banna y a accompagné Baccámon pour seconder nos femmes à préparer l'*ouicou*. C'est là qu'elle m'a signifié ce qui se tramait ici. Nous nous sommes entendus sur le jour où j'aurais à venir récupérer le fils d'Anahi. Banna m'a demandé de le soustraire à la vindicte des guerriers d'Acaera et de l'élever en mon île ainsi que mon propre petit-fils.

— Pourquoi faire tout ça ? Pourquoi acceptes-tu un si grand danger pour Banna ?

— Je l'ai dit : Banna est ma cousine, cet enfant relève donc de ma propre famille. Fût-il demi-Blanc, mon devoir est de veiller sur lui. Chez moi, si j'ai à répondre à quelques questionnements de la part des *ouboutous*, voire de mon cacique, à propos de cet enfant, nul ne saura me reprocher d'accomplir ce que me dictent nos us familiaux.

Sans plus la peur du début, le regard de Macoa dégageait maintenant tant de vertu, tant de dignité, que le Jésuite ne pouvait douter de son histoire. Tout concordait à ce dont il avait été témoin : Banna venue seule en *piragua* d'Acaera à Ayaou avec la facilité de celle qui en aurait accoutumance, le ravissement de l'enfant à sa mère qui n'aurait point accepté de s'en séparer et qui, en même temps, ne pouvait être instruite de ce qui se tramait, car elle aurait cherché à en aviser les Blancs…

Le moine défroqué retira son poignard et le remit en sa gaine autour de son cou. Afin de détendre tout à fait Macoa qui ne cessait de le fixer dans les yeux avec l'assurance de celui qui n'a mie à cacher, il lui redonna son coutelas. Ce ne fut qu'à ce moment que Fulgenzio, qui n'avait saisi miette de l'échange, perdit lui aussi sa mine mauvaise.

Macoa, inclinant doucement la tête en guise de remerciement, replaça à son tour son arme à sa cordelette puis revint vers le palétuvier où il s'affaira derechef à la corde soutenant la banne.

— Dis-moi une chose, fit le Jésuite tandis qu'il soutenait le panier le temps que le Kalinago vienne à bout du nœud.

— Quoi donc ?

— Gédéon, l'enfant… C'est ton véritable petit-fils, hein?

Pour toute expression de son trouble, les doigts de Macoa hésitèrent une seconde sur le nœud. Puisqu'il ne répliquait point, le Jésuite conclut à sa place:

— Tu es le vrai père d'Anahi.

INTERMEZZO

— Ces événements se sont tous déroulés simultanément?

— Plaît-il?

— Le voyage des pirates au royaume du Bénin, la présence du *capitán* de Navascués à Mexico, l'attaque des cannibales sur le havre de Cape-Rouge… Sont-ce là toutes des circonstances advenues au même moment?

Je note que plus aucun des magistrats ne semble trouver trop long mon récit relatant les circonstances ayant précédé l'avènement de Mange-Cœur. On m'observe fixement et je considère pour la première fois le silence profond qu'embrasse la salle. Je réponds:

— En gros, Votre Seigneurie, en gros seulement. Je vous résume ce qui a marqué la vie de tout ce monde sur une période de trois mois environ.

— Ne devrions-nous point nous attacher à une chronologie plus précise?

— Si cela agrée à Vos Seigneuries, je peux leur souligner les moments exacts de chaque occurrence. Toutefois, Vos Grâces conviendront avec moi que, afin de ne point alourdir ce qui déjà réclame force bienveillances de leur part, il me faut plutôt ignorer ce qui ne me paraît point pertinent à ma narration.

— Pour le moment, du moins, dites-nous si l'attaque des cannibales contre le fief de Cape-Rouge se produisit longtemps avant le retour de ses hommes.

— Selon mon estime, Vos Seigneuries, quand les guerriers d'Acaera fondirent sur Ayaou pour massacrer sa population blanche et ramener leur seul prisonnier, Cape-Rouge, le capitaine N'A-Qu'Un-Œil, de l'autre côté de la mer océane, se disposait à entreprendre une action qui devait s'avérer des plus simples et des plus communes : bombarder un village nègre de tous ses canons tandis que ses… «partenaires commerciaux», sous la gouverne du roi Kâti, prenaient les réfugiés à revers.

— Voilà un acte de guerre que ces gueux des mers ont dû concevoir fort facile : se contenter de cracher le fer et le feu pendant que d'autres s'entre-poignardaient à leur place.

— Voilà un acte de guerre qui aurait dû s'avérer fort simple, en effet, Votre Seigneurie. Or, rien ne se passa comme prévu.

9

Par contremont* la rivière, une famille de bêtes énormes — que l'un des marins de Zúñiga appela «hippo quelque chose» —, à la bouche démesurée, s'en était prise à la coque de la caravelle qui la venait importuner. Il n'aurait point fait bon tomber à la merci de ces monstres en ces eaux maudites où nageait quelque autre ménagerie inconnue et diabolique.

Heureusement, la *San Pedro* n'eut point trop à remonter le courant avant d'atteindre, sur bâbord, la rive où s'étendait le village nègre que Kâti s'était mis en tête de conquérir. Le bourg était composé de quelques cases en torchis disséminées le long de la rivière sur une distance d'un quart de lieue environ. Partout, des femmes noires à la poitrine dénudée, ceintes à la taille d'une longue jupe diaprée, s'affairaient à marteler des céréales à l'aide d'un pilon, à transporter des charges sur leur tête, à entretenir des feux de cuisson, à battre du linge sur des roches à fleur d'eau, tandis que, autour d'elles, s'amusaient des enfants nus. L'arrivée de la caravelle ne déclencha point d'alarme subite, mais lorsqu'une villageoise s'y obligea pour quelque raison ignorée — l'expérience, peut-être —, tout ce monde prit la fuite. Des vieillards rachitiques apparurent à l'entrée des habitations alors que des hommes jeunes surgissaient des fourrés ou des champs, qui une machette à la main, qui un couteau minuscule, qui un arc et quelques flèches, qui une zagaie légère, abandonnant derrière eux houes, bétail et gibier. Entre leurs pieds trottaient les poules qui, au milieu de la panique ambiante, s'allaient abriter derrière les chèvres et les porcs qui pâturaient. La masse noire de quelques buffles s'ébroua parmi les hyacinthes et les roseaux au milieu desquels se profilait parfois l'étrave effilée de pirogues grossières.

— Cinq brasses! cria l'homme de sonde à N'A-Qu'Un-Œil.

Ce dernier apprécia une dernière fois les trois marins dispersés à tribord, de la proue à la poupe, Ubaldo, Tomaso et Sebastiano, qui avaient mission de s'assurer qu'aucune embarcation n'aborderait la caravelle à revers tandis que le reste de l'équipage s'activait aux manœuvres et aux canons de bâbord.

— C'est bien là le plus loin qu'il nous soit possible d'aller sans risquer de talonner en ce chenal étroit, murmura-t-il à l'adresse de Santiago et de Lionel près de leur canon. Il suffirait d'un coup de vent malvenu pour nous drosser sur les bœufs et les «hippo quelque chose» qui broutent la rive.

Il se tourna à demi vers les hommes aux bossoirs et lança :

— Mouillez l'ancre !

Puis, aux gabiers sur les vergues des huniers, les seules voiles encore fleuries :

— Arisez la toile !

Santiago traduisit les directives en espagnol et les hommes s'exécutèrent avec empressement, trahissant leur crainte de voir la caravelle remonter toujours davantage à l'intérieur de ce pays à la réputation inamicale, aux animaux étranges et peu accueillants, aux habitants damnés par Dieu.

— Canonniers, visez le toit des huttes ; arquebusiers, le pied des buissons où ces singes noirs trouvent refuge ! Il faut convaincre les fuyards à courir se réfugier dans les bras des hommes de Kâti qui arrivent par la terre.

Cette fois appuyé de Ximeno qui, s'il baragouinait un fort mauvais français, l'entendait assez bien, Santiago reformula les ordres en castillan. Mana, de son côté, répétait l'interprétation de Lionel afin de s'assurer que chaque marin cannibale eût bien saisi les consignes. «Quelle fratrie insolite!» songea Urael en notant que le tiers de l'équipage n'entendait mie aux idiomes des deux autres et qu'il fallait parfois l'appui de plus d'un truchement pour se garantir de la bonne diffusion des ordres. Avec, comme de juste, les risques inhérents au délai imparti et aux erreurs de traduction.

Les hommes aux canons serraient les bragues, ajustaient les anspects, battaient les briquets, parés à enterrer le village de feu et de fer. Les cris de panique qu'on percevait de la rive s'entremêleraient sous peu aux hurlements de souffrance et aux râles d'agonie. Sitôt que le capitaine voudrait bien bailler l'ordre de…

— Feu à volonté!

— ¡ *Fuego a discreción* !

La foudre, se fût-elle abattue au beau milieu du village, aurait eu à rougir du tonnerre qui s'ensuivit. D'abord, les canons se déchaînèrent avec une simultanéité telle que le navire roula sur sa quille, exposant les berniques à bâbord. Ensuite, les boulets et la mitraille frappèrent de si belle précision qu'ils fauchèrent, avec une égale dévastation, huttes, appentis, volaille, bestiaux… femmes et enfants. Une fumée noire recouvrit incontinent le tillac, se lovant avec paresse sous la brise molle. Alimentées par les hommes de Zúñiga, formés à la guerre sur la côte barbaresque, et par les Kalinagos, maintenant familiarisés avec le maniement des bouches à feu, les batteries tonnaient à l'envi, emplissant le pont de plus de nuées encore, crachant le fer à l'aveugle, les boutefeux acertainés de l'angle donné aux fûts par les anspects. À la coordination des premiers tirs succéda une cadence décousue, commandée par le rythme avec lequel chaque canonnier parvenait à pourvoir à son mortier d'airain.

À travers la fumée, N'A-Qu'Un-Œil allait d'un groupe à l'autre, stimulant, retrempant, tapes dans le dos, coups de pied aux fesses, en fonction de sa satisfaction et pour bien démontrer qui était le maître. Il s'approchait de Santiago et de Lionel, paume levée, prêt à congratuler d'une tape sur l'omoplate quand, tout soudain, il s'abattit sur le plancher du pont.

Lionel, qui venait de déposer un boulet de quatre livres dans la bouche du canon, perçut le mouvement par-dessus son épaule. Il se redressa à demi et fut moins étonné de considérer N'A-Qu'Un-Œil, une longue flèche plantée dans la nuque, que la dizaine de gaillards noirs, leur arc bandé en direction des canonniers.

— Trahison! hurla le jeune matelot en tirant l'épée qui pendait en permanence à son côté. Nous sommes pris à revers!

Il n'eut point à répéter en espagnol ou en caribe, car son cri seul avait suffi à faire entendre le danger. Deux marins de Zúñiga s'écroulaient, percés d'outre en outre, au moment où Lionel fondait sur les archers responsables. En deux coups d'estoc, il troua l'un à la poitrine et fendit l'autre à la tête, se permettant de remarquer, en cours d'exécution, les trois lascars responsables de surveiller la hanche tribord, Ubaldo, Tomaso et Sebastiano, au pied du mât de misaine, ayant quitté leur poste, sans doute pour mieux apprécier le tir d'enfilade des canons.

Une brûlure à la joue senestre prévint la colère de gagner Lionel, celui-ci venant d'échapper de justesse à une flèche qui s'alla perdre par-delà le bastingage. Puisque la

canonnade avait cessé, les cris de guerre des
uns et des autres s'ouïssaient et la fumée
libérait la scène. Les pirates, maintenant
lames au clair, ne pouvaient qu'apprécier le
courage des villageois nègres qui, se sachant
trop peu nombreux, avaient malgré tout
envahi le navire dans l'espoir de faire taire
les bouches à feu et d'offrir aux leurs loisir
de fuir ou de se regrouper pour la contre-
attaque.

Peu de Blancs eurent latitude de frapper
un assaillant noir, car Lionel se démenait déjà
avec rage au milieu d'eux, tranchant un cou,
perçant un ventre, fendant un crâne, son bras
manié avec une vivacité telle qu'il fallait
s'obliger beaucoup pour parvenir à le suivre,
ne serait-ce que des yeux. Chaque estocade
qu'il portait lui tirait à la fois un ahan d'effort
et un cri de fureur. Peut-être exprimait-il là
non seulement son ardeur de vaincre, mais
aussi sa peine de savoir son brave bosco-
capitaine mort sur le pont.

Santiago, avec un pistolet, coucha un
adversaire, mais point avant que ce dernier
eut loisir de tirer une flèche sur un Kalinago.
Grenouille, un long poignard serré entre ses
doigts palmés, fondit par-derrière sur un
autre Noir tandis que les deux derniers

combattants tombaient sous les coups de Mana et d'Urael. Des pirates se précipitèrent avec des fusils au bastingage de tribord dans la crainte de découvrir une seconde troupe de Nègres s'attaquant à l'échelle de coupée. Il n'en fut rien. Les dix braves étendus sur le pont moururent trop tôt pour comprendre que leur sacrifice s'était avéré inutile : s'ils étaient bien parvenus à faire taire les canons — car ils pensaient que les pirates étaient venus pour tuer —, ils ne surent que précipiter plus de monde encore dans les pattes des hommes de Kâti qui coupaient leur retraite dans la brousse.

— Misérables bélîtres ! Incapables !

C'était la voix de Lionel qui aboyait de nouveau. Mais cette fois, il ne jetait point sa fureur contre l'ennemi, plutôt vers les trois hommes qui n'avaient point su répondre à leur devoir. Une lourderie qui venait de coûter la vie à leur capitaine.

— Traîtres !

Ainsi que la fois où le jeune homme avait fondu sur Nazareno pour passer sa rage, ainsi que lorsqu'il avait perdu tout repère pour affronter le *teniente* Rato[1], lorsque Lionel

---

1. Voir le tome 4 de la série : *Les Armes du vice-roi.*

bondit sur les trois fautifs, aucun de ses compagnons n'eut le réflexe de le retenir. Sebastiano et Ubaldo s'écroulèrent, ventre ouvert. Tomaso fut le seul à disposer du temps pour tirer son sabre, mais n'eut point loisir d'éviter mieux que ses camarades le courroux du jeune escrimeur. Ne parvenant point à adopter une position de défense adéquate, bien qu'il aboutît à parer la pre-mière estocade, il ne put mie contre la botte suivante; six pouces de fer pénétrèrent sa gorge. Il s'écroula dans un éclaboussement de sang, son cadavre de travers sur celui de Sebastiano, formant une croix.

Le regard toujours aussi enflammé, Lionel gira sur ses talons, épée pointée devant lui, provoquant un pas de recul chez tous les marins, Espagnols, Français et Kalinagos confondus. Seul Nazareno osa s'avancer vers le jeune pirate, son bec-de-lièvre transfor-mant son éternel souris en une grimace. Lionel ne s'apaisa point, en dépit qu'il ne trouvât plus ni ennemi ni vaunéant méritant sa fureur. Peut-être parce qu'il considérait maintenant N'A-Qu'Un-Œil, tourné sur le dos, entre les mains de Santiago. Grenouille et Urael, à deux pas, paupières mi-fermées, hochèrent la tête de concert en direction de

Lionel, signifiant que le pirate borgne, jouissant à peine de ses premières armes de commandant, avait perdu le goût du pain.

— Et maintenant? hurla le jeune marin d'un cri si strident qu'il fit sursauter même ses camarades les plus accoutumés à ses accès de courroux. Le capitaine est mort, et alors? On ne va tout de même point remettre les voiles pour retourner à val* la rivière!

— Calme-toi, Lionel, dit Philibert qui venait d'aborder son compagnon par l'arrière et posait une main affectueuse sur son épaule. Nous sommes tous aussi chagrins que toi et nous...

— La peste du chagrin! répliqua le garçon en repoussant le timonier d'un geste vif.

Il pointa son épée vers la rive où flambaient les cases, où gisaient quelques cadavres humains au milieu des carcasses de volailles et d'ovidés.

— Nous sommes ici pour commercer, non? Un trésor noir nous attend sur la rive. Qu'attendons-nous pour nous en emparer?

Il répéta en caribe pour Mana et ses hommes.

— Hé, hé! Ce n'est point l'entente que nous avons avec le roi Kâti, garçon, rétorqua

Santiago qui se redressait en abandonnant N'A-Qu'Un-Œil sur le pont. Alors, hé, hé! on se contente d'espérer* le…

— Espérer? Espérer que ce gros débitant d'esclaves nous veuille bien pourvoir en marchandises pendant que nous servons ici de cibles. Mort de mes os! Peste d'espérer. Qui vient avec moi?

— *¿Quién vendrá con él para atacar el pueblo de Negros?* traduisit Ximeno à qui on n'avait rien demandé.

Lionel pointait l'épée vers le reste de l'équipage, plus menaçant qu'engageant, plus effrayant que ralliant. Sa blessure fraîche à la joue saignait encore et ajoutait à son air impérieux.

— Hein? Qui? Qui osera se mesurer à ces Nègres, là-bas? Point pour les tuer, les assommer, mordiable!

Il se tourna de nouveau vers Santiago, Grenouille et Urael:

— On les prend en cisailles, ces Nègres, entre les hommes de Kâti et nous. On garde ceux qu'on attrape et on ne paie au roi que les captifs qui seront tombés entre ses mains. Par saint Elme! À Cape-Rouge, on ramènera une belle cargaison d'esclaves qui, si elle lui aura coûté la perte de son bosco, ne le décevra point en négoce!

— Lionel, commença Grenouille, je ne crois point…

— Quoi? Tu ne crois point que Cape-Rouge approuverait? La belle affaire!

— Non, hé, hé! C'est de changer la règle avec le roi qui, hé, hé! ne nous semble point…

— Le roi? Mordiable, Santiago!

Lionel pointa encore sa rapière vers la rive par-dessus la tête de ses compagnons tandis que les autres marins, en retrait autour des cadavres des trois fautifs, l'observaient, fascinés par la rage qui l'habitait, par l'autorité qui sourdait de lui. Plusieurs se disaient maintenant qu'ils suivraient bien un meneur de sa sorte: brave, intelligent, adroit à l'épée et fougueux. Il n'était plus ce rodomont qu'on raillait encore deux mois plus tôt. De vrais muscles saillaient de ses manches roulées, un vrai torse, de sa chemise entrouverte…

— Ne te laisse point abuser, Santiago, de grâce! Tu as là un gros stupide qui nous fourbe depuis ses premières offres. Qu'il essaie seulement de nous empêcher de nous approvisionner en esclaves et, par le Christ!

je te jure, Santiago, je lui plante moi-même ma rapière dans le cœur.

Il gira de nouveau vers les autres marins et les interpella, moitié en français, moitié en caribe, et Ximeno, en castillan, traduisait à mesure ce qu'il parvenait à saisir.

— Frères de fortune! Nous voilà sans plus de capitaine, sans même personne désigné par icelui afin de le remplacer en cas de fatalité. Rallions-nous donc à nos cœurs, à notre courage, pour poursuivre la mission qui nous avait été confiée. Revenons dans les Amériques, non point avec le caractère amer de la défaite, mais les cales remplies de cette marchandise que nous sommes venus acquérir. Qui est prêt à souscrire à la gloire?

Une première rumeur d'approbation monta des hommes. Il faut dire que chacun savait que le seul marin à pouvoir arracher le navire à l'Afrique et le ramener en la mer des Antilhas sans le dérouter, c'était Lionel. Et le seul à savoir lire un portulan, recourir à un bâton de Jacob, dresser la latitude, user d'un compas et d'une boussole, c'était encore Lionel.

— Qui est disposé à me suivre?

Il ne parlait plus de suivre simplement son cœur et son courage.

Cette fois, une vraie salve d'exclamations sourdit des poitrines. Les marins, de quelque origine fussent-ils, de quelque idiome usassent-ils, éprouvèrent la même attirance, le même sentiment de ralliement envers ce garçon de dix-huit ans, prétendait-il, dix-sept ans, plus sûrement, qui les enjoignait à se ranger derrière sa lame redoutable, inspirée et nerveuse, dans une action qui ne pouvait que satisfaire à la fois leur désir de lauriers et leur appétit de biens. Enhardi par cette réponse, Lionel revint face à Santiago, Grenouille et Urael pour, non point obtenir, mais constater leur assentiment.

Ceux-ci, toutefois, même s'ils opinèrent à se plier à la décision de la majorité, se bornèrent à rester muets en échangeant des regards ébranlés. Lionel n'était plus ce fadrin qu'ils avaient connu. Il faut dire que côtoyer des gueux des mers pendant trois ans, trucider à répétition et manger de la chair humaine façonne avant l'âge un garçon en homme.

Grenouille frotta le plat de la main contre son œil ainsi qu'il en aurait chassé la fatigue… ou la mouillure d'une larme. Santiago murmura quelques «hé, hé, hé!» sans conviction pendant qu'Urael, droit et impassible ainsi qu'il en avait coutume, mais la pupille floue, ne disait mot.

L'un comme l'autre, émus, savaient qu'ils venaient d'assister à la naissance d'un chef.

⚓

En tête des Noirs qui filaient dans la brousse avec l'espoir de se réfugier dans la forêt proche, on trouvait principalement des femmes jeunes, certaines avec des bébés dans les bras, que leurs maris ou leur parentèle encourageaient à courir. Elles furent les premières, en compagnie de jeunes garçons de moins de quinze ans, à tomber dans les filets tendus par les hommes de Kâti. Les assaillants émergeaient de la sylve en un demi-cercle qui coupait toute retraite, nombreux ainsi que des moustiques.

S'avisant qu'il ne servait mie de suivre leurs femmes et leurs filles dans la chausse-trappe, les hommes rebroussèrent chemin incontinent pour se trouver, eux, face aux pirates qui avaient déjà passé le village et les haussaient dans les herbes. Ils furent piégés à leur tour par des filets de pêche qu'on leur jetait, et ceux qui parvenaient à se disperser se faisaient rattraper dans les cinq secondes à coups de plat d'épée ou de crosse d'arquebuse. On tentait de ne point tuer, mais il était parfois difficile d'ajuster sa vigueur pour ne point fracasser une mâchoire ni ouvrir un crâne. Les plus performants à assommer un adversaire sans le trop esquinter étaient sans conteste les Kalinagos qui, armés de leurs *boutus*, forts de leur méthode de combat traditionnel où l'on ménage l'ennemi pour l'offrir en sacrifice aux dieux, accumulaient les hommes jeunes et forts qui, par la suite, deviendraient les meilleurs esclaves.

— Que faites-vous ici ? Qu'est cela ?

Kâti, encadré par sept des siens parmi les plus valeureux, ces derniers armés de longues sagaies à la pointe de métal, arrivait en soufflant ainsi qu'un buffle, traînant sa graisse dans la broussaille. Une sueur abondante lustrait sa chair noire, la faisant miroiter ainsi que du verre de volcan.

— Où est votre capitaine ? Je veux m'entretenir avec votre capitaine.

Ses hommes rassemblaient leurs propres captifs — pour la plupart des captives — à deux portées d'escopette, à l'orée de la forêt. Autour du roi nègre, les meilleures prises se trouvaient détenues par les pirates.

— Où est ce Blanc borgne qui gouverne ? hurla-t-il cette fois d'une voix trop stridente pour venir de la gorge d'un homme si gros.

Ximeno murmura la traduction à l'oreille de Lionel. Ce dernier s'avança vers Kâti, épée au clair, mais vers le sol.

— Notre capitaine N'A-Qu'Un-Œil est mort au combat, lança-t-il immédiatement interprété par l'ancien marin de Zúñiga. Je suis le nouveau chef des Blancs.

Le roi nègre éclata d'un rire plus méprisant que daubeur, ses joues et sa panse battant au même rythme. Lionel ne releva mie l'offense, non qu'il en faisait fi, mais il s'y attendait. Il patienta donc, campé droit sur ses jambes, le temps que Kâti remarquât la mine sérieuse des pirates qui affirmaient par leur silence menaçant les prétentions du jeune homme.

Pour exprimer sa colère, le souverain noir roula vers Lionel des yeux si exorbités que ses sclérotiques en ressortirent terriblement blanches au centre de son visage. Il siffla :

— Est-ce toi, adonc, qui a envoyé cette troupe à terre ? Ignores-tu l'entente que j'avais avec ton capitaine ?

— Je suis parfaitement au courant de ce dont le capitaine et toi avez convenu.

Toutefois, puisque notre chef n'est plus, sa parole est morte avec lui.

Dès que Ximeno eut terminé de traduire la riposte, le visage de Kâti, de colère, se gonfla ainsi qu'une outre se remplirait de vent. D'un geste plus théâtral qu'intimidant, il tira un long couteau de sa ceinture afin d'exprimer la virile autorité dont il se targuait.

C'était là le prétexte qu'attendait Lionel.

D'un mouvement vif, sans motion arrière préalable — mais malgré tout avec grande vigueur —, il allongea un coup en pointe qui perça le roi à jour à la hauteur du cœur. Tel qu'il se l'était promis. Le gros homme s'abattit dans les herbes sans plus de grâce qu'on laisserait choir un sac de farine.

Sept sagaies furent brandies incontinent et pointèrent en direction de Lionel. Toutefois, déjà, une dizaine d'arquebusiers couchaient les gardes en joue. Il y eut une seconde de flottement, un ange passa, l'un des Noirs jeta un œil sur les siens, au loin, beaucoup trop loin, puis planta sa lance à ses pieds en signe de reddition. Deux autres l'imitèrent à contrecœur, et il fallut encore un long moment avant que suivissent trois de plus. Un seul garde refusa de rendre les armes, estimant que si l'équilibre des forces leur avait été si facilement retiré par leur roi abattu, il en serait de même pour les Blancs.

Sa sagaie n'eut même point loisir de quitter sa main. Dès que son bras amorça l'élan pour la projeter, trois rouets d'arquebuses se mirent en mouvement pour mettre le feu au pulvérin. Si une balle se perdit au loin, les deux suivantes le fauchèrent, l'une au torse, l'autre à la tête.

Dès après, un cri commun, venu de toutes les poitrines des pirates, secoua la brousse. Les guerriers de Kâti plus loin, qui venaient juste de comprendre que leur roi était tombé sous une action traîtresse, virent la meute de forbans des mers se ruer sur eux, brandissant bâtons de tonnerre, arbalètes, massues, haches et longues lames. Les hommes s'interrogèrent un moment du regard, incertains de la marche à suivre. Hormis leurs poignards, ils n'étaient armés que de gourdins et de filets. Guère induits à guerroyer ce jour-là, ils croyaient n'avoir à se frotter qu'à quelques paysans indolents, sans compter que, depuis le début de l'engagement, ils ne se harpaillaient qu'avec des femmes et des enfants.

Il suffit d'un seul mouvement de repli d'un seul d'entre eux pour sonner la retraite.

Lorsque les Blancs et leurs alliés indiens parvinrent aux filets des captifs, les hommes de Kâti s'étaient déjà éparpillés dans la forêt.

Ce jour-là, pour les pirates, les tractations commerciales visant à se procurer un chargement d'esclaves au meilleur tarif possible se terminèrent par l'acquisition d'une cargaison complète leur ayant coûté, hormis leur capitaine, six morts, quatre blessés… et rien d'autre. Ni eau-de-vie, ni arme, ni poudre, ni fer, ni tissu, ni brocante.

Et ils avaient gagné un nouveau chef. Plus jeune. Plus violent.

10

El capitán Luis Melitón de Navascués —
agissant maintenant sous le nom de *capitán*
Angel Yágüez — longeait les stalles étroites
où pacageaient les chevaux. Ces derniers
renâclaient à la présence de l'homme, non
point qu'ils se rebiffassent, mais s'étonnaient
qu'on les gardât là, depuis des jours et des
jours, tandis qu'ils auraient tant voulu courir
sous le soleil cuisant et la lumière des tropiques plutôt que se morfondre dans la sombreuseté et l'humidité suintante de la cale du
galion.

En cette partie la plus profonde du navire
amiral, là où le roulis se ressentait moins, le
capitán aimait à s'attarder. Il y avait découvert que, l'âge gagnant sur lui, son âme se
consumant dans l'amertume de ses rêves
évanouis, il se plaisait davantage en la compagnie des bêtes que des hommes. Si, au
départ, les palefreniers avaient craint cette
autorité militaire quasi perpétuelle autour
d'eux, ils avaient fini par s'y accoutumer. À

moins que le soin à prodiguer aux animaux ne lui convînt point, le *capitán* maintenait une présence muette et discrète. Parfois même, il lui arrivait de se mêler d'étriller ou de distribuer l'eau aux bêtes.

Un andalou de couleur isabelle, de qui il avait su particulièrement s'attirer la sympathie, le poussa du museau lorsqu'il passa devant son compartiment.

— D'accord, murmura de Navascués en amignardant le chanfrein du coursier. Sitôt serons-nous à terre, c'est toi que je monterai et, ensemble, nous fondrons sur ces maudits pirates.

⚓

— Baccámon, non! Je t'en prie. Notre fille! Tu ne peux…

Le Kalinago se retourna aussi vif que la colère baignant son cœur et, d'une gifle violente, envoya Banna rouler au milieu d'une talle de ronciers. Les autres villageois, dont plusieurs *bóyés* avec Jali en tête, approuvèrent d'un bref mouvement du chef. Il fallait qu'elle fût bien émue, la réservée Banna, pour oser s'opposer de la sorte à une action de son époux.

Surtout en public.

— Procédez, commanda Baccámon à l'adresse de trois femmes *bóyés* qui se tenaient aux côtés d'Anahi.

Cette dernière, debout au milieu de la masse d'îliens venus assister à sa disgrâce, silencieuse et immobile, son regard fixé sur son père, tant en signe de résignation que de défi, se laissa dévêtir de sa robe étrangère pour se retrouver nue ainsi qu'il en était coutume chez son peuple. La cérémonie de rejet se déroulait au sommet des falaises qui jouxtaient la partie orientale de la plage d'arrivée. Çà, la forêt cédait la place à quelques halliers d'épiniers et à de la pierraille où s'étaient attroupés en une masse aussi compacte que silencieuse des habitants des quatre villages d'Acaera. Autour d'eux, aussi violentes que le rituel en cours, chaleur et lumière se réverbéraient sur la pierre et la mer. Des pailles-en-queue criards disputaient au ressac la musique des berges en poignardant le ciel de coups d'aile frénétiques.

Une prêtresse, de mouvements brusques, ôta de la poitrine, des bras et des jambes d'Anahi les différents colliers et bracelets fabriqués d'os, de carapaces de tortue et d'ambre qui la couvraient. De manière à effacer les tatouages de *nicolai* qui indiquaient son rang et son statut, ou qui servaient simplement d'ornements, on la mâchura de plus de poudre encore, car seul le temps — ou l'écorchement — finissait par oblitérer le marquage exécuté avec cette poussière noire.

Ce fut alors que la jeune femme se sentit nue, vraiment nue, livrée dans son entièreté aux regards des villageois, hommes comme femmes, non point sans plus ses tissus de *noúbi*, mais sans plus les marques qui la distinguaient, l'individualisaient. Pendant que, à l'aide d'une cordelette de *maho*, on liait ses poignets et ses chevilles, elle continua de soutenir le regard de son père, ce dernier moins furieux que honteux, et toujours plus vindicatif qu'indulgent. Anahi ne regrettait point d'avoir menti et choisi de trahir les traditions pour garder l'enfant né de son sein, elle regrettait seulement de ne pouvoir cracher à la figure de son père à quel point sa méfiance avait été endormie pour soustraire Gédéon au massacre, car pour cela, il aurait fallu trahir sa mère. Même sans ignorer que Banna avait plutôt cherché à ménager sa fille en mettant son petit-fils à l'abri — action qui l'avait plutôt desservie, ainsi que Vos Seigneuries peuvent en juger —, Anahi

vouait une reconnaissance sans limite à sa
mère.

Une femme *bóyé* s'approcha par-derrière
la fille, munie d'un coquillage à l'arête cou-
pante. Anahi la devina plus qu'elle ne l'ouït,
car tous les regards pointaient par-dessus son
épaule. Elle ferma les yeux et attendit. Elle
sentit qu'on la saisissait par la longue torsade
de ses cheveux, aussi, par un réflexe imper-
ceptible, étira-t-elle le cou. Le saillant écorcha
la peau de sa nuque lorsqu'il s'attaqua à la
base de la touffe et un peu de sang coula
dans le sillon à l'arrière du cou. Contre l'un
de ses pieds, Anahi éprouva la caresse de la
lourde mèche qui venait d'y choir.

Pendant que la *bóyé* s'exécutait, une
rumeur montait des gorges des Kalinagos
rassemblés :

— *Ibouchimati ! Ibouchicali ! Ibouchimati !
Ibouchicali !* Honte ! Honte !

Ce ne fut d'abord qu'un bourdonnement
furtif qui se distinguait malaisément par-
dessus le ronronnement des flots en contrebas. Toutefois, il prit de l'ampleur chaque
fois qu'une voix se voulait plus emportée et
qu'une autre cherchait à l'équipoller. Quand
le coquillage s'attaqua aux tempes d'Anahi,

la rumeur devint clameur puis tumulte; la masse de cheveux au sol s'épaissit.

— *Ibouchimati! Ibouchicali!*

La *bóyé* se retira. De minces filets de sang coulaient ici et là, aux endroits où la prêtresse s'était montrée malhabile avec le coquillage. Une larme enjamba le rebord de la paupière dextre d'Anahi. Il n'y avait pire symbole d'humiliation que de se retrouver le crâne rasé parmi cette peuplade si jalouse de ses longs cheveux.

Baccámon fit un pas vers sa fille, adopta un air de dédain puis, d'un ton impérieux s'adressant davantage à ses concitoyens, lança:

— Pour la trahison à laquelle tu te livras avec mon *banari* et sur laquelle, par affection pour toi, j'avais fermé les yeux, pour cet enfant que tu as dérobé une première fois au sacrifice promis en jurant qu'il n'était point de mon esclave, mais de mon hôte, pour cette disgrâce dont tu me couvres en préservant de nouveau ce demi-Blanc réclamé en sacrifice par Chemíjn et Mápoya, pour cette persistance à tenir ton peuple sous le courroux des dieux, à risquer plus de maladies, plus de morts encore, pour cette obstination à dédaigner la juste rébellion qui nous libère des *noúbis* étrangers, je te renie comme fille et te bannis de ma maison, lavant de cette manière mon sang de ta honte. Je t'abandonne aux fils et filles d'Acaera qui feront en sorte que, à cause de toi, cesse de mourir notre peuple.

— *Ibouchimati ! Ibouchicali !*

Et Baccámon, sans plus un regard pour sa fille, se détourna pour s'engager dans le sentier qui menait à l'intérieur de la forêt, en direction de Kairi et de son carbet. En croisant le roncier où pleurait Banna, il proféra :

— Femme, tu n'as plus d'enfant. Suis-moi et pourvois à tes autres devoirs.

Jali, qui officiait la cérémonie d'opprobre, prononça une série de paroles rituelles en lançant des poudres aux odeurs de ranci, parfois vers le ciel, parfois vers Anahi. Lorsqu'il eut terminé et qu'il quitta la scène en compagnie des autres *bóyés*, les villageois conclurent le rituel. Les hommes raillèrent la fautive et la conspuèrent pendant que les femmes et les enfants lui crachaient au visage, lui jetaient du sable.

Anahi s'abandonna au sacrifice. Dans le dessein de fermer le monde autour d'elle, son esprit navigua sur la mer loin au-delà d'Acaera, au-delà même des eaux des Antilhas, vers cette terre lointaine et mystérieuse nommée Afrique, là où Lionel, qui avait si bien sacrifié son immense orgueil par amour pour elle, accomplissait son destin. Elle se vit tendrement enlacée dans ses bras et, enrobée du souvenir de ses caresses, se laissa bercer par un rêve qui la prévenait de l'horrible réalité.

Lorsque les villageois se furent retirés, satisfaits, confiants en l'indulgence des dieux maintenant que le rituel de vindicte avait été respecté, Anahi rouvrit les paupières. Deux femmes *bóyés* — ou trois ou quatre ou plus, elle se refusait à tourner la tête pour ne paraître point craindre la suite — la saisirent par les bras. Autour d'elle, la marque laissée par des centaines de pieds se distinguait à travers les herbes écrasées et la pierraille remuée. Ses longs cheveux, dont elle avait toujours pris un soin jaloux à lustrer et à peigner, jonchaient la roche, souillés. Elle murmura :

— Lionel, je t'aime.

Elle avait parlé français. Le visage d'une prêtresse — trop près, trouva-t-elle, sans reculer pour autant — lui retourna une expression méprisante.

— Gédéon, je t'aime.

Un voilier de sternes masqua un instant le soleil, agitant la lumière ainsi que le couvert d'une ramée secouée de vent. Les femmes obligèrent Anahi à marcher jusqu'au surplomb le plus extrême de la falaise.

— Lionel.

Elle fixa la mer et son impossible horizon, ce bornage inaccessible qui reculait à mesure qu'on en tentait l'approche. Et loin, si loin au-delà de cette ligne qui se fondait dans le ciel, naviguait, ignorant de tout, ce garçon qu'elle affectionnait au point de l'avoir élu pour époux.

— Lionel.

Elle porta ensuite le regard au ponant, en direction d'une île voisine qu'elle ne pouvait distinguer non plus, mais qui lui paraissait digne des plus belles promesses. «Sur cette terre, lui avait murmuré Banna au matin, sur cette terre, oui, ton enfant de sang mêlé vit à l'abri des rebelles d'Acaera en compagnie de ton père véritable.»

Ton père véritable.

— Gédéon.

Anahi, tout à coup, constata qu'elle n'éprouvait plus la dureté de la roche sous ses pieds. Elle se sentait d'une incroyable légèreté.

De rares témoins sur la plage d'arrivée la virent flotter au loin au milieu des hirondelles de mer et des aigrettes. Volatile sans plumes à la peau poudrée, son élégance et sa beauté ne désassortissaient point celles des oiseaux, même les chevilles et les poignets liés, même couverte de poussière et de crachats et même sans plus de cheveux. Aussi, parmi la gent ailée, sembla-t-elle en son propre royaume, une princesse du vent, de la mer, de la lumière et du chant du ressac.

Les souffrances qu'elle ressentait si fort en son cœur s'éteignirent incontinent lorsqu'elle toucha les rochers en contrebas.

⚓

Cape-Rouge, dans sa cage étroite, parvint à passer un bras par-dessus son ventre pour écraser des tiques qui le démangeaient sur sa hanche opposée. C'était la première fois qu'il réussissait à glisser une main à l'opposite, cela le convainquant incontinent de son degré d'amaigrissement. Il tâta la chair flasque pendouillant de son abdomen.

— Je ressemble à un cheval atteint de gras-fondu*, murmura-t-il pour lui-même. Au moins, si on me mange, poursuivit-il, un souris aux lèvres, on ne trouvera guère à s'empiffrer.

La douleur à son épaule senestre, brisée lors de sa capture, avait cessé de le faire souffrir. Toutefois, incapable d'en exercer les muscles, il se demanda jusqu'à quel point il en resterait infirme le jour où, par impossible, il retrouverait sa liberté.

Entre les rondins qui composaient sa prison, au milieu du grand *tabouï* servant d'aire commune aux habitants de Kairi, il pouvait lorgner vers les quartiers d'Iríria, maintenant régente sous le conseil des *bóyés*, et s'étonner de la totale indifférence qu'on lui portait. Une fois par jour, une esclave taína lui venait porter à manger et à boire, une patate et un *coy* d'eau, sans jamais émettre la moindre parole dont il n'aurait entendu mie de toute manière. Depuis une, deux semaines, peut-être plus — il avait perdu le décompte —, on le laissait là en ses déjections, cerné de tous côtés par les rondins, à la merci des puces — les terribles *chicquis* ou les aussi détestables *cayabas* —, des *malyris* — des sortes de maringouins —, des fourmis appelées *haus*, des gros rats que les Naturels appellent *grattonis*, des crapauds même, qui le venaient harceler. Parfois, des enfants, en passant, le battaient avec un bout de bois, lui lançaient du sable ou lui crachaient à la figure.

Cape-Rouge, dans les premiers jours, les premières nuits plutôt, avait tenté de couper avec ses ongles les nœuds de *maho* retenant la cage. Le bout des doigts en sang, il avait fini par renoncer.

— *Cai, cai, cai!*

Le pirate s'était habitué à cette manière des Amériquains de marquer leur surprise à tout propos, pour un signe qui leur semblait venir du démon Mápoya, pour la foudre qui s'abattait à proximité, pour toutes les fois où l'un d'eux devenait *balihir*, c'est-à-dire en transes, et qui, furieux, brisait sa *piragua* ou battait sa femme, aussi le prisonnier ne fit-il guère d'effort pour tendre le cou et voir qui arrivait en courant à l'intérieur du grand *tabouï*.

— *Ollibation, hou, hou! Cai, cai, cai!*

Jali, suivi incontinent par deux sorciers subalternes, deux gardes et Iríria, se précipita hors des quartiers royaux pour accueillir l'homme. Il s'agissait d'un pêcheur du village de Márichi à qui Cape-Rouge avait déjà été présenté et qui s'appelait Hatuey ou Taouey ou quelque chose comme ça.

Un échange nerveux s'engagea entre les hommes et, même s'il n'entendait mie au caribe, le pirate pouvait deviner les exhortations au calme de Jali et la peur qui se dégageait des propos du pêcheur. Le grand *bóyé* finit par désigner les deux gardes près de lui et les somma de suivre Hatuey ou Taouey ou quelque chose comme ça.

Jali, ses prêtres subalternes et Iríria s'entretinrent un moment à voix basse puis, la mine perplexe, sans un regard vers le prisonnier ainsi qu'ils en avaient coutume, réintégrèrent les quartiers royaux.

« Que craignent-ils encore, ces cornards ? songea Cape-Rouge avec autant de mépris que d'inquiétude. Quels signes sur la mer, dans le ciel ou dans la forêt ont-ils remarqués une fois de plus ? Il est trop tôt pour que ce soit déjà le retour de N'A-Qu'Un-Œil. Ah ! Ces cannibales doivent se sentir bien abandonnés de leurs dieux depuis qu'ils ont massacré tous mes hommes pour plaire à ces divinités païennes, tandis que les maladies continuent de progresser sur l'île. Les voilà bien payés pour tout le mal qu'ils ont répandu. Estimeront-ils maintenant que Chemíjn exige ma mort à moi aussi pour compléter les sacrifices ? »

Une heure s'était écoulée pendant laquelle Cape-Rouge avait détourné ses pensées lorsque les gardes revinrent à leur tour aussi vite et aussi essoufflés que le pêcheur. Au bruit de leur approche, les quartiers d'Iríria se vidèrent de nouveau de leur monde pour accueillir les arrivants. Cette fois, une véritable inquiétude se lisait sur tous les visages et, ce qui frappa davantage Cape-Rouge, fut que, à plusieurs reprises, Jali comme les autres lui jetèrent des coups d'œil à la dérobée.

De gestes impérieux, le grand *bóyé* envoya les gardes quérir un homme qui arriva quelques minutes plus tard : trapu, le dos rond, son rocouage à demi effacé, il avait la jambe senestre plus courte que la dextre, ce qui le faisait boiter. Tous ensemble, mais hésitants, ainsi qu'ils y répugneraient, les Naturels s'approchèrent de la cage de Cape-Rouge. Quatre hommes se penchèrent pour en saisir les angles et la soulevèrent de façon à ce que le prisonnier se trouvât debout, soutenu moins par ses mains agrippées aux rondins que par l'étroitesse de sa prison.

— Moi, mon nom Cassavax, dit le boiteux dans un français à peine compréhensible.

Le Kalinago accomplissait de visibles efforts pour ne point plisser le nez à respirer la terrible odeur de sueur et de déjections mêlées que diffusait le pirate. Ce dernier répliqua d'une voix lasse :

— Je te connais. Tu étais l'hôte du Jésuite.

— Jézite *banari*, *attoüati*. Oui.

— Et tu parles français.

— Jézite apprendre, *attoüati*.

— Tu vas servir de truchement, donc.

— *Catíbian* ?

— Moi, je ne comprends mie à ta langue, alors parle la mienne.

— Moi demander : quoi toi dire ?

— Toi, tu vas traduire, c'est ça ?

— *Attoüati*.

Cape-Rouge balaya du regard les mines inquiètes d'Iríria, de Jali et de ses autres *bóyés*. Même les gardes, sous leur air farouche, ne parvenaient point tout à fait à masquer leur appréhension.

— Qu'est-ce qui se passe ?

De son index qui pointait l'invisible par-delà les arbres de la forêt, Cassavax dit :

— Sur plage, trois monstres.

— Allons bon !

— Deux têtes, quatre jambes, corps en métal.

— C'est Mápoya.

Parce qu'il ne parvenait plus à rire, l'ironie de Cape-Rouge sonna ainsi que l'annonce de la pire nouvelle. En dépit de sa peau hâlée et de son rocouage défraîchi, Cassavax pâlit. Iríria, Jali et ses *bóyés*, plus discrets, sursautèrent tout de même, bien qu'ils sussent que les Blancs ne croyaient guère en leurs dieux et les craignaient moins encore.

— Má… Mápoya ? bégaya le truchement.

— Mais non, pauvre crapoussin*! Quoique j'aie bien du plaisir à entretenir une telle frayeur dans vos faces de rat.

— Ces monstres, toi connaître ?

— J'ai ma petite idée, oui.

— Oui ?

— Oui.

— Quoi être ?

Cape-Rouge, cette fois, en dépit de son mal, en dépit de ses plaies, de sa lassitude et de son épuisement, à observer les airs défaits autour de lui, parvint à sourire.

— Vous vous trouvez bien en peine, en vérité, de venir solliciter ma science après avoir massacré tout mon monde et m'avoir laissé pourrir au milieu de votre vermine depuis des jours et des jours, étirant le plaisir de préparer le *caouynage* où vous me sacrifieriez à vos dieux.

— Toi, parler trop. Moi, point entendre.

— Vous êtes des traîtres, des ramas de vouerie*, surtout toi, démon femelle, qui, pour asseoir ton pouvoir, n'as point hésité à tuer ton époux, et vous autres, les lourpidons, sorciers minables, qui avez renversé votre cacique légitime, pourtant le meilleur que vous eussiez souhaité pour votre communauté maudite. Je vous méprise et me réjouis de trouver votre île, une fois de plus, sous une menace si terrible que vous vous en trouvez bien affligés.

Même sans connaître un seul mot de français, les *bóyés* et leur souveraine n'entendaient que trop bien les reproches de Cape-Rouge pour ne point devoir masquer leur colère et leur humiliation. Peste des dieux qui les obligeaient à s'en remettre à leur prisonnier honni. Jali, qui s'efforçait, quoique sans succès, de conserver une attitude hautaine, s'adressa à Cassavax. Ce dernier traduisit à Cape-Rouge :

— Grand *bóyé* offrir à toi liberté si toi aller aux monstres.

— Pour mourir à votre place ?

— Toi, point mourir. Démons toujours peur toi. Toi renvoyer eux. Nous, contents. Toi, liberté.

L'éclat de rire de Cape-Rouge ne résonna point fort, toutefois, le grincement émis par sa gorge fut suffisant pour décupler la honte des Kalinagos.

— Je ne crois point un mot de votre offre. Vous me tuerez quoi que je fasse.

— *Bóyés* respecter promesse, sinon indignité.

Devant le refus de Cape-Rouge, Jali s'avança face à lui pour lui parler directement. Iríria se tenait à son côté, fière et souveraine, mais, comme à son habitude, ne disait mot.

— Jali vouloir savoir si toi peur monstre de métal avec deux têtes.

— Dis au lourpidon que Cape-Rouge ne craint qu'une chose, c'est de ne point vivre assez vieux pour vous tuer tous.

Lorsque Jali, après avoir serré les dents sous la répartie, eut repris une pose digne,

se préparant à s'humilier pis encore en mar-
chandant à la hausse l'aide réclamée à Cape-
Rouge, un homme apparut. Il émergeait du
sentier menant à la plage d'arrivée, soutenu
par deux villageois de Bálaou qui l'avaient
cueilli au passage : il était couvert de sang,
avait un bras coupé, le nez coupé, et tenait
dans sa seule main valide un rouleau de
parchemin.

— Lui attaqué par monstres, dit Cassavax
à Cape-Rouge lorsqu'il traduisit pour sa
gouverne l'animation et les échanges entre
les prêtres et les arrivants. Lui dire monstres
avec guerriers espagnols. Lui dire monstres
parler de *Ouragan* et parler de Cape-Rouge.

— Sang-Diou! jura le pirate pour lui-
même. Ils me cherchent donc ? Ont-ils trouvé
mon navire resté à Ayaou ?

— Non, répondit le Kalinago sans être
acertainé que le prisonnier s'adressait à lui
ou soliloquait. Eux vouloir savoir où trouver
Cape-Rouge. Eux épargner prisonnier pour
donner message pour Cape-Rouge sur…
gossapin… au cas où nous savoir où trouver
toi.

— Ce n'est point du gossapin, crapoussin, c'est un parchemin. Comment ont-ils pu
connaître les coordonnées d'Acaera ? Un

marin de la *San Pedro*, de l'ancien équipage de Zúñiga, nous aurait-il trahis ?

Cape-Rouge, qui n'avait plus d'équipage duquel se soucier, qui semblait plus appréhensif envers son galion qu'envers lui-même, ainsi qu'un père craint de mourir en abandonnant son enfant dans la misère, tendit une main à travers les barreaux :

— Qu'on me donne ce message.

Jali hésita deux ou trois secondes face à l'injonction du pirate, mais ce pouvait être autant pour ne point donner illusion de céder que de crainte que la missive offrît quelque instruction d'évasion. Lorsqu'il y accéda, Cape-Rouge se saisit du vélin d'un geste brusque sans même croiser le regard du prêtre.

Il appréhenda y trouver un texte en espagnol, mais constata dès l'introduction que la missive était traduite en français.

Capitaine, je n'userai point de mots en dentelle avec vous, car vous n'êtes point homme de dentelles. Mon message est simple : veuillez vous constituer prisonniers, vos hommes et vous, sans combattre, et nous jurons sur les Saints Évangiles, au nom de Son Excellence Luis de Velasco y Ruiz de Alarcón, vice-roi de la Nouvelle-Espagne et défenseur des Indiens, que nous laisserons en paix la communauté de Naturels qui vous donne refuge. Nous savons que vous les estimez ainsi que des frères, aussi jurons-nous de ne les point molester.

Pour vous aussi, capitaine, de même que pour vos hommes, nous jurons un traitement qui vous obligera. Vous ne serez point traités en pirates, mais en prisonniers de guerre, vous octroyant lors, une fois sous notre garde, quelque privilège. Vous éviterez le déshonneur d'un procès dégradant et la peine de la hart.

J'ai, sous mes ordres, trois navires totalisant soixante-quatre canons et huit cent vingt-deux soldats aguerris. Si, dans dix jours, soit le premier du mois de mai, nous n'avons point reçu réponse qui nous satisfasse, après lecture du Requerimiento* *par notre prêtre du bord, nous attaquerons et anéantirons toute la population de cette île.*

Cape-Rouge sauta les civilités du paragraphe de conclusion pour baisser les yeux sur le seing. Son cœur faillit jaillir de sa poitrine. Non point parce qu'il y lut ces nom et titre dont il n'avait onques ouï parler, «*Capitán* Angel Yágüez, commandant expéditionnaire et capitaine du vaisseau amiral

Don Carlos », mais à cause de cette note, fort petite, écrite sous la signature, de la même main qu'icelle, une note de quelques mots qui sonnait ainsi qu'une menace d'outre-tombe ou une nargue ou, mieux, un défi, et qui se lisait : « *Un capitán que conoció mejor con el nombre de* Luis Melitón de Navascués. »

INTERMEZZO

— Mais quels étaient donc ces monstres dont s'effrayèrent les Naturels ?

— Simplement des *caballeros*, Votre Seigneurie.

— Des cavaliers ?

— Les Kalinagos ne connaissaient point d'animaux aussi grands que le cheval et, à plus forte raison, n'avaient jamais imaginé la possibilité de dompter pareilles bêtes. Lorsque, pour la première fois, ils aperçurent ces pécores caparaçonnées de métal, montées par des hommes vêtus d'armures, jambes fondues dans les flancs, cela leur parut un seul monstre à deux têtes et doté de quatre pattes.

— Quels ignorants ! souffle un magistrat en dodinant du chef.

— Ce sont là de pauvres Sauvages, tempère un autre juge près de lui. Il faut les comprendre. Notre race supérieure a la responsabilité de leur apporter connaissance et civilisation.

Le même homme se tourne vers moi pour demander :

— L'expédition espagnole passa donc aux côtés de l'île…

Il hésite en posant les yeux sur les notes du greffier à ses côtés, reprend :

— … l'île d'Ayaou ? Ils ne trouvèrent point le galion pirate ?

— Si fait, Votre Seigneurie. Quatre ou cinq jours après l'ultimatum, tandis que les navires sillonnaient les rives d'Acaera à dessein de tracer un plan des côtes, un grain poussa le *San Juan*, l'un des trois navires de guerre espagnols avec le *Don Carlos* et le *Cadix Hermosa*, vers Ayaou.

— Il est tombé sur l'*Ouragan* ?

Je ne peux m'empêcher de rire en précisant :

— L'Espagnol a eu tellement peur qu'il a cinglé incontinent retrouver ses camarades. Lorsque les trois navires sont revenus vers l'îlet, croyant en découdre avec les pirates, ils n'ont trouvé qu'un havre désert aux habitations brûlées et un navire vidé de toute cargaison. Rien du trésor espéré. Les Espagnols envisagèrent d'abord de couler l'*Ouragan*, puis de Navascués… enfin, le *capitán* Yágüez, élut plutôt de le touer comme prise de guerre.

— Pendant ce temps, que faisait Cape-Rouge?

— Il soignait ses plaies, Votre Seigneurie. Le pirate avait accepté l'offre des cannibales afin de se mesurer en cette occasion encore, et pour la dernière fois, jurait-il, à son ennemi de trop longue date. Je crois que sa haine équipollait alors à sa curiosité: comment le *capitán* avait-il survécu à l'explosion de l'*Inquisición*?

— Et que disaient les Naturels de l'offre des Espagnols? En échange de Cape-Rouge, ils auraient pu s'adjoindre l'aide de de Navascués contre le retour de la caravelle qui ne manquerait point, un jour ou l'autre, de réapparaître.

— Cape-Rouge s'était bien gardé de mentionner les détails de la missive, Votre Seigneurie. Il parla plutôt d'un ultimatum de reddition s'adressant à tous et, se disant magnanime, offrit son aide pour mettre sur pied les défenses de l'île avant le délai fixé.

— Ces Sauvages sont d'une bêtise qui ne peut que...

Je me sens fort désobligé par la remarque, aussi je coupe le magistrat d'un ton un peu sec.

— C'est que, au lieu de couvrir ses prisonniers de cadeaux avant d'en user comme messager, le *capitán* de Navascués eut plutôt la mauvaise idée de les estropier dans le dessein d'imposer la terreur. Ce ne sont point là méthodes à vous laisser croire en l'indulgence de l'envahisseur.

11

— Il s'agit du cadavre d'une fille. Il date de plusieurs jours, coincé entre deux rochers. Bientôt, sans doute, avec l'appétit des crabes et des oiseaux, la mer parviendra à le disloquer et à l'entraîner.

De Navascués ne parut point ouïr son *alférez*. Il se moquait de la crainte émise par certains soldats à propos de sacrifices humains perpétrés par les Sauvages de manière à s'attirer la faveur des démons païens. Il tira à senestre sur la bride de son cheval et lui piqua les flancs de ses éperons. L'andalou, nerveux, piaffa de trois coups de sabot avant de s'ébranler plus loin sur la plage en boitant de l'oreille*. Le *capitán* lui fit longer les vagues en s'assurant de rester hors de portée de flèches de quelques archers cannibales dissimulés dans la forêt.

Encore deux jours à attendre la fin du maudit ultimatum et ça ne le réjouissait guère. Il lui fallait bien souscrire à l'indulgence du vice-roi à propos des Sauvages, leur donner la possibilité de livrer Cape-Rouge sans engager de combat, mais pendant ce délai, l'ennemi avait loisir de peaufiner ses défenses et d'offrir une farouche résistance au moment de l'assaut. Et point question de tricher sur ce point, *Fray* Vasco, l'aumônier du bord, saurait informer *Su Excelencia* du manquement du *capitán* à la parole vice-royale.

Deux Amériquains capturés avaient éclairci le mystère à propos de l'*Ouragan* abandonné et de l'îlet dévasté : de pirates, il ne restait que Cape-Rouge, tous les autres — enfin, ceux qui n'avaient point été tués — voguaient depuis des semaines de l'autre côté de la mer océane. Mais si les Indiens de l'île étaient devenus ennemis de Cape-Rouge, pourquoi s'obstinaient-ils à refuser de le livrer ? À cause de son trésor ? Possible. Bien que ces barbares ne sussent guère apprécier la valeur de l'or, peut-être quelques icônes à l'image de leurs dieux suscitaient-elles leur intérêt.

Ou simplement haïssaient-ils les Espagnols plus encore que les Français.

Tant pis pour eux, alors ! Après tout, la conjoncture ne pouvait que convenir au *capitán* : avoir latitude pour décimer les mangeurs de chair humaine tout en respectant les consignes du vice-roi.

— Nous avons trouvé deux veuglaires inutilisables à l'orée de la mangrove, là-bas. On y voit aussi les traces de cinq autres canons — enfin, de cinq affûts lourdement chargés — qu'on a hissés sur des pistes se perdant dans la forêt.

Un *teniente* du nom de Gonzalo Zuazo, d'un élégant maintien sur son alezan*, armure d'un lustré impeccable, plume fraîche à son morion, aligna le pas de sa monture à celui du cheval du *capitán*. L'officier avait beau visage avec des traits égaux habillé d'une barbe noire qui, lorsqu'elle reflétait les rayons du soleil, renvoyait des reflets bleutés. Il poursuivit :

— Les six hommes que j'ai envoyés s'enquérir de l'emplacement éventuel des lignes de défense ont été tués à coups de massue. On a retrouvé leurs corps empilés de l'autre côté des premiers buissons. On n'a jamais vu les Indiens.

Sans démontrer la moindre émotion, les yeux de de Navascués alternaient entre la mangrove et la forêt, là où se devinait le départ des sentiers susdits. De cette voix rauque qui le caractérisait, il feula :

— Croyez-en ma science à les affronter, ce ne sont point des démons. Ils sont rusés, voilà tout.

À peine avait-il terminé sa réflexion qu'un fort vacarme se fit entendre à un quart de lieue de distance sur la pente couverte par la lourde feuillaison de la sylve tropicale. De la plage, on put voir s'ébranler le sommet de quelques arbres géants qui s'abattirent en provoquant l'envol de centaines de perroquets et le cri de dizaines de singes.

— Quelle diablerie nous préparent-ils? demanda Zuazo.

De Navascués ramena son cheval en direction des canots près desquels des soldats s'affairaient à solidifier des abris en bois qui les protégeraient d'éventuelles pluies de flèches.

— Vous avez identifié au moins cinq canons entre leurs mains: ils s'ouvrent des meurtrières d'où ils nous pourront arroser de fer sans même qu'on puisse riposter.

⚓

Cape-Rouge n'avait point trop usé de superbe pour humilier Jali, Iríria et leurs sbires, juste le nécessaire pour exprimer son mépris. Puis, afin de contrer l'invasion imminente des Espagnols, il s'était adjoint les meilleurs éléments de l'île — enfin, les moins pires éléments, car les meilleurs cinglaient sur la *San Pedro* quelque part entre les Antilhas et l'Afrique… et, jusqu'à preuve du contraire, étaient restés fidèles au cacique assassiné.

— Il y a trois endroits par où l'ennemi peut tenter un débarquement en masse : la plage d'arrivée, la baie de l'Oreille et, en dernier recours, les plaines marécageuses et le marais au nord-est. Les Espagnols ont déjà relevé toute cette topographie de l'île depuis des jours qu'ils en sillonnent les approches. Ils tenteront en premier d'aborder par la plage d'arrivée, la plus facile d'accès, pour prendre d'assaut les pentes boisées en direction des villages. Ils nous ont vus installer les lignes de défense avec les canons — on leur a offert le spectacle des arbres abattus pour les bien informer —, aussi, dès que les artilleurs feront exploser les premiers canots et que les guerriers en contrebas massacreront les hommes qui tenteront de s'enfoncer dans la sylve, chercheront-ils un autre point d'accès.

Cassavax traduisait à mesure ce qu'il entendait des instructions de Cape-Rouge, faisant répéter souvent, insistant sur les détails que les Kalinagos saisissaient à demi… Le pirate se montrait patient, préférant s'assurer que chacun maîtrisât le moindre détail plutôt que de risquer — ainsi que ce fut le cas, une fois, sur l'*Ouragan* — une manœuvre mal saisie.

— La baie de l'Oreille doit être comblée de pierres et d'arbres abattus afin que les navires ne puissent s'en trop approcher. Les Espagnols doivent absolument s'obliger à y descendre en canots ; l'entrée est étroite, nous les pourrons frapper sans qu'ils puissent se regrouper en trop grand nombre. Les cavaliers et leur monture, s'ils parviennent à débarquer, n'y pourront manœuvrer à cause des pieux que nous y planterons.

— Et par la plage, ici ? demanda un *hóyé*.

— La plage de la Corne ? Le tirant d'eau est insuffisant. Les navires doivent mouiller beaucoup trop loin et le temps que les canots mettent une compagnie de soldats à terre, nous aurions le temps de la massacrer avant l'arrivée de la prochaine. Ils ne tenteront point cette manœuvre.

— Il ne leur restera donc plus que…

— … que les marécages.

— Le terrain est à découvert, dit Jali. Un peu spongieux par endroits, certes, mais guère profond et si les *noúbis* espagnols y débarquent, ils auront toute latitude pour nous charger avec leurs monstres et nous abattre avec leurs fusils.

— Je crois que nous pouvons profiter de cet environnement à notre bénéfice.

Jali leva un regard suspicieux devant Cape-Rouge. Le pirate jouait-il sa propre partie, fourbant les uns et les autres? Rien n'avait semblé clair dans sa décision de seconder les rebelles kalinagos. Le *bóyé* répliqua:

— Je ne vois point en quoi. S'il est un terrain qui nous défavorise, c'est celui-là.

Le pirate, en cet instant, se réjouit visiblement. Il rétorqua:

— C'est que vous ne connaissez mie aux techniques de combat du Vieux Monde.

⚓

Le soleil se levait à peine en ce premier mai de l'an de grâce mil cinq cent cinquante-quatre que la plage d'arrivée de l'île d'Acaera grouillait de centaines de soldats en armure, et lui résistent et contredisent; et nous clamons que les morts et les dommages qui s'ensuivront seront de *votre faute* et non de celle de Leurs Majestés, ni de la nôtre, ni de ces chevaliers qui nous accompagnent.»

Fray Vasco énuméra ensuite les signataires du document, dont le vice-roi Luis de Velasco, les capitaines et officiers de la troupe, roula son parchemin et se retourna enfin vers les cavaliers. De son ton toujours solennel, il clama:

— Le *Requerimiento* a été lu en son entier. Vous pourrez tous en témoigner.

— Alors, *Fray*? Sommes-nous libres d'attaquer, maintenant, oui ou non? demanda de Navascués, dents serrées.

— Il faut laisser le temps aux Sauvages de répondre à notre offre de paix, *capitán*.

— Combien de temps?

— Quelques minutes, au moins, le temps qu'ils réfléchissent, que leur cœur accueille la Grâce de Dieu.

Un cheval hennit, un autre piaffa. Les troupiers s'absorbèrent un moment dans la contemplation de la ramée bercée par la brise, l'envol des oiseaux multicolores, le coassement des grenouilles et le grésillement des grillons. Toutefois, leur regard revenait

tous des piétons*, aucun lansquenet, ainsi que l'avait exigé le vice-roi pour se garantir la fidélité de la troupe. Le centre était formé d'hommes armés d'une épée et d'une rondache, encadrés par une trentaine d'arbalétriers et d'escopettiers, eux-mêmes protégés par quinze lanciers à cheval. Des pavillons aux couleurs de l'empire et de la vice-royauté flottaient au sommet de quelques hampes tenues par des enseignes.

À leur tête, le *capitán* Luis Melitón de Navascués, monté sur son andalou isabelle, immédiatement suivi par son subordonné direct, le *capitán* Elberardo Ortiz. Derrière eux, un porte-étendard, le *teniente* Gonzalo Zuazo sur son barbe* alezan, les trois capitaines des navires, les officiers subalternes et, debout à deux pas en avant de l'attroupement, *Fray* Vasco, un long parchemin entre les mains.

— Lisez le *Requerimiento*, *Fray*, ordonna le *capitán* en s'empêchant de préciser: «...et qu'on en finisse!»

Après un long regard en direction des lignes de défense kalinagos qu'on apercevait beaucoup plus haut sur la pente avec leur muret de rondins et leurs canons pointés vers la plage, la mine empreinte de toute la gravité du moment, *Fray* Vasco, le prêtre de l'expédition, baissa le nez vers le vélin entre ses mains et, de la voix la plus solennelle dont il pouvait user, proclama en espagnol :

— «De la part de Sa Majesté Impériale Charles le Cinquième, et de Sa Majesté Royale, *doña* Isabela, Reine d'Espagne, princes dompteurs de peuples barbares, nous, leurs humbles serviteurs, vous notifions et vous faisons assavoir, du mieux qu'il nous soit possible, que Dieu notre Seigneur, Un et Éternel, a créé le ciel et la terre, ainsi qu'un homme et une femme, dont nous sommes tous descendants et en avons été procréés, ainsi que vous, ainsi que tous les hommes de tous les temps et ainsi que tous ceux qui après nous viendront.»

S'ensuivit une énumération interminable de l'histoire de la création du monde qui ennuya même les soldats. Son barbe s'impatientant d'être tenu en bride sous le soleil, le *capitán* Ortiz ne put l'empêcher de faire un pas de côté et se trouva tout à coup fort près de son supérieur. Avant de ramener sa monture en position, il en profita pour murmurer du coin des lèvres :

— Mais en a-t-il bientôt terminé de toutes ces bondieuseries incompréhensibles !

De Navascués échappa l'un des rares sourires qu'il se permettait. Ortiz n'avait que trop raison; même un homme aussi pieux que lui-même s'exaspérait de la taille du texte à déclamer.

Fray Vasco parla du devoir d'évangélisation des Espagnes catholiques, de saint Pierre, de la papauté, des mérites spirituels que se vaudraient les cannibales en embrassant la seule religion vraie. Après coup, il conclut enfin :

— «Et si vous n'agréez point à notre Sainte Foi, ou si, malicieusement, vous y mettez du retard, je vous certifie qu'avec l'aide de Dieu, nous entrerons puissamment contre vous, et vous ferons la guerre par toutes les manières possibles, et vous tiendrons sous le joug et en l'obéissance de l'Église et de Leurs Majestés, et nous emp rerons de vos personnes et de vos femmes de vos fils et de vos filles et en ferons esclaves, et comme tels les vendrons e disposerons ainsi que nous en autor Leurs Majestés qui nous envoient, et prendrons vos biens, et vous ferons to maux et dommages qu'il nous est po ainsi qu'il arrive aux vassaux qui n'ob point ni ne veulent satisfaire leur S

toujours à la trouée des arbres abattus par les Kalinagos dans les derniers jours. Parfois, entre les canons, une coiffe de plumes se distinguait, trop loin, bien sûr, pour les arquebuses sur la plage ou les canons sur les navires. À l'inverse, en contrebas et à terrain découvert, la troupe des Espagnols offrait une cible rêvée.

Voilà qui rendait chacun plus que nerveux. Surtout le *capitán*.

— Et maintenant, *Fray* ?

— Encore un peu de...

Un abri, monté pour protéger les hommes des flèches, explosa tandis qu'un nuage de fumée noire venait de se former dans l'éclaircie. Le bruit du canon, à cause de la distance, ne résonna qu'une seconde plus tard.

— *¡ Pardiez, Fray !*

Les deux mains sur la tête, courant vers les canots, l'aumônier hurla :

— Allez-y ! Attaquez ! Attaquez ! C'est Notre Seigneur Jésus-Christ qui vous le commande !

De Navascués tira si fort sur les brides de sa monture que le cheval se cabra en hennissant.

— Enfin !

Il lui planta les éperons dans les flancs et l'envoya au pas de charge en direction de la forêt, quitte à devoir ralentir au moment de pénétrer les sentiers. À sa suite s'élancèrent également les autres cavaliers qui aspiraient de tous leurs vœux à quitter l'aire ouverte où quatre autres boulets plurent sur les abris. Le seul projectile qui manqua les structures faucha deux fantassins sur son passage. Dès après, à la manière d'un lourd nuage à la fois sombre et irisé, une pluie de flèches empennées aux couleurs les plus vives traça dans le ciel sa trajectoire meurtrière. Sans plus d'abri que leur rondache et leur armure, des soldats s'écroulaient, qui une pointe plantée dans l'œil jusqu'au cerveau, qui un trait dans l'espace étroit laissé par le gorgerin, qui un abdomen traversé, qui, plus chanceux, une cuisse perforée, un genou éclaté.

L'andalou de de Navascués, en tête de la charge, atteignit les sentiers en premier. Toutefois, à peine se trouvait-il à l'abri de la frondaison qu'il se précipita dans un buisson dans lequel il s'empêtra. Le temps de convaincre la bête de reculer et de réintégrer le sentier, deux cavaliers dépassaient l'officier: le capitaine du *San Juan* et un *alférez*. Ce fut ce dernier qui plongea dans les sapes creusées à musse-pot par les Naturels. Le cheval s'empala contre les pieux y dissimulés tandis que l'*alférez* vidait les arçons pour chuter plus loin contre un arbre.

— ¡*Madre de Dios*! jura de Navascués en tirant fort sur sa bride pour éteindre toute envie de son andalou de reprendre le galop.

Une flèche vint se briser contre son plastron tandis qu'une deuxième glissait contre le caparaçon de sa monture. Aiguillonné dans tous les sens du terme, il éperonna son cheval hors du sentier en direction des arbres où se dissimulaient les archers kalinagos. Armé de sa rapière, il tenta de s'ouvrir un chemin au milieu des branches basses, mais se trouva si bien ralenti que les Naturels eurent largement le temps de s'enfuir. Plutôt que de rebrousser chemin, il piqua des deux sitôt qu'un espace dégagé lui permit de lancer son cheval.

Le hennissement puissant de l'andalou le surprit avant son arrêt brusque. Cuisses pressées contre les flancs de l'animal, brides serrées dans son poing senestre, il parvint à se garder en selle, mais libéra rapidement les étriers lorsqu'il sentit la monture s'abattre sous lui. Entraîné par le poids de son armure, il roula dans des fourrés proches, la rapière toujours bien enfermée dans son gantelet de métal. Il rouvrit les yeux juste à temps pour voir fondre sur lui l'expression diabolique d'un cannibale, peinturluré de guerre, la peau rouge et la moitié du visage noire. Une lame de silex traça une courbe dans l'air.

Il fut un temps où le *capitán* serait facilement parvenu à parer une attaque de la sorte, mais son bras gauche était devenu malhabile depuis sa fracture et sa mauvaise guérison. Aussi ne put-il empêcher la pointe de heurter le métal de son plastron en une gerbe d'étincelles. De Navascués en ressentit moins une douleur qu'une irritation muée incontinent en ire et c'est hurlant de rage qu'il lança son coude en arrière pour mieux planter ensuite son épée dans le torse de l'Amériquain. Ce dernier recula en empoignant, par réflexe, la lame à deux mains. Il s'écroula, cœur touché, paumes tranchées.

L'andalou gémissait à côté, yeux exorbités, bave à la gueule, une zagaie profondément fichée dans son abdomen.

— *¡Por allí!* hurla le *capitán* à un lancier qui retraitait devant la sape tapissée de pieux. Par ici !

En croupe, le cavalier emportait un arquebusier ainsi qu'on procédait souvent pour déplacer les tireurs plus vite et les déposer là où, plus près de l'ennemi, ils le pouvaient mieux coucher en joue. Abandonnant son passager, le lancier fonça vers son officier.

— Navré pour votre cheval, *capitán*.

De Navascués bondit derrière la selle à la place du fusilier tandis que deux flèches sifflaient à ses oreilles pour aller claquer ensuite contre le tronc des arbres voisins.

— Retraite des chevaux vers la plage, ordonna-t-il. Impossible de charger à travers cette forêt. Laissez la place aux fantassins.

Ces derniers, justement, ouvraient de grands yeux à croiser les cavaliers qui rebroussaient chemin tandis qu'eux-mêmes atteignaient à peine l'orée sylvestre. De nombreux cadavres gisaient déjà sur la plage au milieu de blessés plus nombreux encore, percés de flèches et de zagaies, éparpillés autour de ce qui restait des abris montés au cours des derniers jours et que les canons, en quelques minutes, avaient réduits à rien.

— En avant !

Dès qu'il fut à hauteur des fantassins, de Navascués sauta du cheval pour se mettre à leur tête et les exhorter à pénétrer dans la pénombre verte de la frondaison. Les arquebusades commençaient de coucher les premiers

Kalinagos, rassurant d'autant les troupiers qui, pour la plupart, n'avaient jamais croisé de cannibales et les imaginaient, tels des monstres sortis de l'enfer, avec groin de porc ou mufle de dogue, les dents carnassières, le corps couvert d'écailles. Or, ne s'effondraient autour d'eux que de vilains singes tatoués de rouge et de noir, les rassurant sur la faillibilité de leur ennemi.

Non le moins courageux, leur *capitán* ouvrait le chemin à grands moulinets d'épée, jurant, crachant, hurlant, découpant, fendant, recevant sa part de coups, son armure se couvrant des rayures des pointes de flèches et son bouclier des bosselures des coups de massue. Toutefois, le sang avait beau gicler sur les troncs et la feuillaison, l'ennemi demeurait par trop invisible. De plus, les blessés tombés d'une flèche ou d'une zagaie à un bras, une épaule ou une cuisse, après quelques minutes, se mettaient à saliver à l'excès, à rouler des yeux gonflés, à vomir... puis à mourir.

— ¡ *Ponzoña* ! cria une voix.

Du poison !

Le cri eut l'effet d'un muid d'huile bouillante s'abattant au milieu de la troupe. Chacun s'éparpilla là où il pouvait le mieux échapper à l'œil des Sauvages, derrière un tronc large ou à plat ventre dans les buissons. Mourir, oui, chaque combattant y était disposé, le cœur transpercé, la gorge ouverte, le crâne fracassé, mais point ainsi, point par l'intérieur, par un ennemi invisible qui vous venait happer en rampant dans vos veines, vous prenait du dedans pour vous obliger à rendre l'âme le visage dans le vomi ainsi que le plus misérable vieillard dans son lit. Ce n'était point manière de mourir pour un soldat.

De Navascués s'aperçut soudain que seuls quelques hommes continuaient de le suivre dans la piste entrecoupée de sapes; ceux-ci se trouvaient maintenant si enfoncés dans les lignes ennemies que des cannibales commençaient de les encercler.

— Holà! En bas! Qu'est-ce qui vous retarde? Avancez, *pardiez!*

— *¡Ponzoña!* répliqua simplement la voix qu'il reconnut pour celle du capitaine du *Cadix Hermosa.*

Une flèche fit voler des éclats d'écorce juste sous le nez de de Navascués et, la seconde suivante, il esquiva avec son bouclier le coup de *boutu* d'un colosse rouge.

— ¡*Madre de!...* commença-t-il tandis qu'il pliait les genoux sous le choc.

Il se parait à éviter un second coup du même hercule quand le tir d'un arquebusier l'en délivra. Le guerrier n'était point encore au sol que de Navascués revenait sur ses pas, fendant au passage un autre Kalinago qui tentait de le prendre à revers.

— Retraite! cracha-t-il aux braves qui le suivaient toujours. Retour à la plage!

Un homme s'abattit, une flèche dans la nuque, les autres suivirent.

Dès qu'il parvint à l'orée de la forêt, de Navascués se dirigea incontinent vers le capitaine du *Cadix Hermosa*, un homme plutôt gras, mais d'une robustesse certaine. Celui-ci leva le menton, disposé à argumenter sur le mécontentement de l'officier. L'homme n'était point militaire et se sentait moins redevable à la discipline imposée par le *capitán*. Toutefois, de Navascués n'était point d'humeur à argumenter. Poing fermé dans son gantelet de fer, il profita de ce menton si bien présenté pour envoyer rouler le marin dans le sable.

— ¡*Estúpido!* Depuis quand conteste-t-on les ordres sur un champ de bataille?

Il allait réitérer ses ordres de revenir à la charge quand un cheval, sans plus son cavalier, étourdi de douleur par un coup de *boutu* sur la gueule, émergea de la forêt en passant devant de Navascués. Bousculé, le *capitán* roula à son tour dans le sable. Comme il allait se relever, une nouvelle volée de flèches tomba du muret et faucha une dizaine d'hommes à mi-chemin entre l'orée et les canots. Aucun n'était touché mortellement, mais nul n'osa s'approcher d'eux pour leur porter secours, ainsi qu'ils eussent été contagieux… ou condamnés de toute manière par le poison.

— Retraite !

Le cri vint sans doute d'un *teniente* quelconque qui considéra de Navascués hors combat ou qui profita rapidement de la situation.

— Hors de question ! hurla le *capitán*.

Mais son propre contre-ordre mourut noyé par le tonnerre d'une nouvelle canonnade venue du haut de la pente. Un canot explosa, quatre hommes furent déchiquetés, un arbre s'abattit et deux gerbes d'eau témoignèrent des boulets perdus. Déjà, une première embarcation retraitait, surchargée de soldats, sous les ordres du capitaine du *San Juan*.

— ¡ *Madre, Madre, Madre de Dios* ! jura de Navascués en pointant son épée non point vers la forêt, mais vers les hommes qui fuyaient. Je vous ferai pendre pour insubordination. Pour lâcheté. Pour…

— *Capitán*, défiez-vous !

Trois zagaies venaient d'émerger de la sylve pour se planter dans le sable non loin de de Navascués.

Un lancier arriva au galop, main tendue pour le saisir au passage. Le *capitán* remit son épée au fourreau, présenta le bras et sauta en croupe. Les sabots creusaient un pointillage nerveux sur la plage tandis que le coursier filait en direction des canots.

12

Tandis que les Kalinagos, de leurs diverses positions, s'échangeaient de longs cris imitant les ouistitis afin de chanter victoire, Cape-Rouge, derrière l'un des canons du muret, conservait une mine stoïque. Non point qu'il ne se réjouît lui aussi de ce premier succès et de la déroute des Espagnols, mais parmi les cavaliers en contrebas, il avait reconnu une longue silhouette et, surtout, une voix dont la ressouvenance immergea sa poitrine dans une mer avinée et fit résonner sa tête d'un glas assourdissant. Il avait remis* son plus détestable ennemi, le *capitán* Luis Melitón de Navascués.

S'avisant que les navires caponnaient les ancres et déployaient les voiles pour gagner le vent, il ordonna aux canonniers qui l'entouraient :

— Je veux dix hommes céans en permanence dont le plus rapide coureur. Je veux deux guetteurs aux falaises pour mieux être à l'affût, surtout de nuit. Si le moindre canot se présente au large, n'attendez point qu'il aborde la plage pour l'arroser de boulets. Incontinent, vous envoyez le coureur m'en informer. Il y aura toujours quelqu'un à Kairi qui saura où me trouver, soit à la baie de l'Oreille, soit dans la plaine des marécages.

Il fit répéter deux fois à Cassavax tant pour s'assurer qu'il avait bien compris les directives que pour en souligner l'importance puis, avec le gros des guerriers, retourna vers les villages. Il fallait maintenant assurer la défense des deux autres points de débarquement potentiels.

⚓

La *San Pedro*, pilotée avec adresse par Lionel, son nouveau capitaine, voguait grand largue, bâbord amure, sur les alizés du suest. Aussi indulgents au retour qu'à l'aller, les vents et les courants menaient la caravelle sur une mer gaillarde, ce qui ne manquait point de réjouir les marins qui œuvraient avec une bonne humeur perpétuelle depuis le départ du royaume du Bénin.

Puisque les barils d'eau-de-vie n'avaient point servi à troquer avec les Nègres, les soutes en regorgeaient ; les hommes qui

n'étaient point de quart en soirée bénéfi-
ciaient adonc de rations plus généreuses. C'est
en ces moments de campos que Nazareno,
devenu le compagnon chéri de tous, réjouissait les cœurs avec son flageolet — fabriqué
dans l'os d'une victime de sacrifice cannibale
— duquel il tirait une musique à émouvoir
la plus noire des âmes.

A fortiori, celle de son capitaine.

Nazareno, le simplet au bec-de-lièvre, un
moment victime des railleries et des barate-
ries* des matelots, un moment le souffre-
douleur des crises de courroux de Lionel, était
devenu la coqueluche de chacun, du moins
de tous ceux qui s'émotionnaient de quelques
notes harmonieuses remembrant souvenirs,
caresses lointaines, visages aimés… L'appréciaient surtout ceux qui se languissaient de
retrouver, en quelque port, une douce, une
promise.

A fortiori, son capitaine.

Aussi, de ce dernier, Nazareno était
devenu le protégé et nul n'aurait maintenant
osé lui manquer égard sans craindre, par
après, souffrir le caractère imprévisible et
facilement irritable de Lionel.

L'enthousiasme général qui régnait à bord participait non seulement de la navigation sans histoire, mais aussi du fabuleux trésor noir qui remplissait les cales du navire. Le produit de la razzia dans le village nègre s'était avéré si profitable que plus de trois cents esclaves avaient été rassemblés et que bien peu mouraient pendant la traversée. Les structures conçues par Lionel afin de disposer au mieux de la «marchandise» avaient permis de libérer l'espace nécessaire pour un plus grand nombre de captifs et évitaient à ceux qui pâtissaient du mal de mer de dégobiller sur leur voisin. De plus, tout Noir qui venait à souffrir de quelque affection que ce fût était incontinent séparé des siens afin de prévenir la contagion. Un espace avait été aménagé sous le gaillard de proue à cet égard; ceux dont la santé s'améliorait étaient ramenés dans la cale, les autres, jetés par-dessus bord. Sur ce point, Lionel restait intraitable.

— Ce coq espagnol fait des merveilles, fit remarquer Grenouille à son capitaine. Les Nègres mangent de si bon appétit que j'en ai repéré une dizaine qui, ma foi, ont pris du poids.

— Il faut dire, précisa Santiago, que la viande salée, le poisson fumé et, surtout, ces greniers à céréales du village attaqué nous ont fort bien avitaillés. Hé, hé!

— Voilà qui est réjouissant, répliqua le jeune homme, un chapeau ayant appartenu à Cape-Rouge enfoncé jusqu'aux sourcils. Point de malades?

Grenouille plissa les lèvres en une moue exprimant l'insignifiance.

— Deux avec quelques pustules, mais je ne crois guère que nous ayons à…

— Mets-les avec les malades et si leur cas empire, jette-les à la mer.

— Pour quelques pustules? Je crois qu'il s'agit là seulement de piqûres de tique ou de gales sans conséquence. Je…

Grenouille s'interrompit en croisant le regard polaire de Lionel, frissonnant ainsi qu'il en aurait subi le souffle. Le matelot remarqua que l'adolescence quittait le garçon en redessinant son visage de traits plus anguleux, plus durs, et la nouvelle cicatrice qui traversait sa joue senestre, la barbe brouillonne qui se densifiait chaque jour davantage, contribuaient à durcir ses traits.

Lionel, d'une voix au timbre lui aussi plus mature, dit:

— Tu te souviens de la précédente cargaison de la *San Pedro* ? L'odeur qui en émanait ? Le nombre incroyable de pertes dues au fait qu'on ne se débarrassait point à temps des malades et des morts[1] ? Place ces hommes en quarantaine, je te dis ; nous jugerons par la suite de la pertinence ou non de les balancer aux requins.

⚓

Le silence était plus lourd à bord du *Cadix Hermosa* que sur les ponts des deux autres bâtiments de la flotte, le *San Juan* et le *Don Carlos*. Non à cause qu'on y souffrît plus intensément l'humiliante défaite subie aux mains des cannibales, non à cause qu'on obligeât le galion à cingler entre les deux autres ainsi que l'enfant turbulent se trouve parfois empêché entre le père et la mère, mais bien parce que le capitaine du vaisseau, cet homme robuste qui en imposait toujours, ballait à la grand-vergue de son propre navire, son visage violet, un bout de langue entre les lèvres. Un écriteau improvisé avec

---

1. Voir le tome 4 de la série : *Les Armes du vice-roi*.

la pelle cassée d'une rame et pendeloqué sur sa poitrine par une corde affichait en lettres grasses : *Traidor*.

Traître.

Si quelques soldats de Sa Majesté Impériale ne ressentaient point toute la ferveur au combat exigée par le commandant de l'expédition, le fougueux *capitán* Angel Yágüez, ils avaient intérêt à puiser immédiatement en eux les ressources susceptibles de les enflammer. Cet officier aux yeux d'acier n'entendait point à ce qu'on discutât ses ordres et malheur au prochain drôle, fût-il capitaine de vaisseau, qui oublierait les attributions et pouvoirs dont, pour cette campagne, il avait hérités du vice-roi.

Il y avait bien quatre ou cinq piétons, parmi les dernières recrues, à qui l'allure du *capitán* rappelait un ancien commandant de préside, là où ils avaient servi, il y avait un an... ou deux... une éternité dans ce monde sauvage. Mais, troupiers sans grade, ne répondant qu'aux *cabos* et aux sergents, ils ne pouvaient l'acertainer, et puis ils s'en moquaient, ayant quitté la *bandera* à la fin de leur service pour tenter l'aventure autrement et s'étant plus tard rengagés dans l'armée, mais à Mexico cette fois, ignorant tout des

déboires de Virgen-Santa-del-Mundo-Nuevo.
Aussi, qu'un *capitán* ressemblât à un autre,
cela ne confirmait qu'une chose : les officiers ne se distinguaient guère les uns des
autres, même morgue, même témérité, même
cruauté.

Deux jours après la débâcle de la plage
d'arrivée, les Espagnols entreprirent de
débarquer en la baie de l'Oreille, là où, de
nombreuses années plus tôt, les hommes
du pirate Doublon d'Or, secondés par les
rebelles à la solde de Hiroon, le frère d'Iríria
et le petit-cousin de François, avaient tenté
un débarquement pour surprendre les villages kalinagos par-derrière[1]. Les navires qui,
la veille, avaient empanné au large prirent à
ourse* un vent bon frais pour s'approcher au
plus matin.

Au sommet des falaises bordant l'anse,
on voyait s'affairer des Sauvages emplumés,
peau rouge, qui couraient d'un sentier à
l'autre, finissaient de renverser des arbres,
roulaient des rochers à l'aide de levier et pro-
voquaient des avalanches d'inégales impor-
tances. Si le fracas des pierres et des abattis

1. Voir le tome 1 de la série : *L'Île de la Licorne*.

crevant l'eau ne se percevait guère à distance, en revanche, l'écume soulevée se distinguait à merveille.

Ce fut le *Don Carlos*, avec son tirant d'eau plus important, à une encablure de la rive, tandis que l'homme de sonde annonçait pourtant neuf brasses, qui heurta en premier une souche immergée. Une voie d'eau dans le bordé, à hauteur de cale, se mit à cracher une giclée d'assez bonne importance que les charpentiers, heureusement, déjà en attente avec planches et barils d'étoupe pour répondre aux boulets de canon, s'empressèrent de colmater.

— La calanque* est comblée d'arbres! hurla une vigie à l'étrave.

— Et d'étocs! compléta une autre penchée à la herpe voisine.

Un grincement sinistre venu du *San Juan* indiqua que, si le navire n'avait point talonné, sa quille venait tout de même de frotter durement un écueil.

— Fallait s'y attendre, ronchonna de Navascués aux officiers qui l'entouraient. (Puis, se tournant vers le bosco du *Don Carlos*:) Fais virer. On ne mouille point çà.

— À vos ordres!

— Et mets la drissée pour aviser les autres navires; on cingle nordet, là où ils nous veulent accueillir.

Zuazo tourna un air interrogateur vers son supérieur, mais n'osa émettre de réserves. Ce fut le *capitán* Ortiz qui s'étonna à voix haute.

— Les marécages, *don* Angel ? Vous optez pour affronter ces Sauvages dans les moustiques et l'eau croupie ?

De Navascués gardait l'œil sur la rive, là où il voyait s'agiter les cannibales qui épiaient leurs manœuvres et couraient ensuite transmettre les informations à l'intérieur des terres.

— Assurément, *capitán*, répliqua-t-il enfin de son feulement coutumier. Les affronter où ils le décideront, en enfer si cela se peut, pourvu qu'ils se mesurent à nous à la parfin, face à face, en terrain découvert. Devant nos lanciers à cheval, notre puissance de feu et nos fantassins exercés, ils pourront à peine nous ralentir et, avant la tombée du jour, j'en fais serment, nous aurons déjà traversé toute l'île et serons à même de tomber sur les villages pour les réduire en cendres.

⚓

La plaine marécageuse d'Acaera, guère profonde — aux pires endroits jusqu'à mollets d'homme —, s'étendait sur une demi-lieue ainsi qu'un triangle, pointe vers l'intérieur de l'île, au sommet duquel stagnaient les eaux verdâtres d'un marais beaucoup plus creux, presque un lac. L'herbe y croissait à hauteur de poitrine, parfois de visage, en fonction de la nature du sol qui variait de très humide à plutôt sec. La plaine était bordée au ponant par une lisière de palétuviers aux racines touffues, impénétrables, acculée à une forêt dense, et au levant par une déclivité argileuse fort glissante, marquée par un cours d'eau chahuteur, saboulé* de rapides.

Impossible aux Indiens d'établir des lignes d'attaque du côté du torrent et s'ils s'avisaient d'user du couvert des arbres au couchant pour lancer flèches, pierres et zagaies, ils en seraient pour leur peine, car à longer la partie opposée près des cascades, les troupes espagnoles pouvaient facilement s'en garantir.

Montant un nouveau coursier, une jument rubicane réquisitionnée d'un lancier qui devait maintenant se contenter d'une carne

273

tourdille restée à fond de cale lors de l'attaque de l'avant-veille, de Navascués chevauchait en tête de colonne, encadré par le *capitán* Elberardo Ortiz, et une enseigne. Suivaient trois *tenientes*, dont Gonzalo Zuazo, puis *Fray* Vasco sur son mulet, qui, la messe étant dite, n'irait guère plus avant et laisserait peu à peu chacun le dépasser.

Le commandant de l'expédition avait modifié l'agencement de ses troupes depuis la plage d'arrivée, car au lieu de regrouper les hommes armés d'épées et de rondaches en une masse compacte au centre, il les avait plutôt répartis sur trois lignes assez étendues, adjoints cette fois à une quarantaine de piquiers, plus utiles en terrain découvert qu'en batailles désorganisées dans les sous-bois. Arbalétriers et escopettiers les précédaient, eux-mêmes toujours devancés par les lanciers à cheval.

Cuissardes relevées, on s'éloigna des canots sur un terrain gorgé d'eau qui, s'il donnait un peu de peine aux fantassins, ne desservait guère les cavaliers. Le soleil écrasait la plaine d'une chaleur étourdissante, chauffant d'autant les cuirasses, mais réfrénant de la sorte l'ardeur des maringouins. Des demoiselles* voletaient entre les armures, étonnées, effrayées peut-être, que leur plan aqueux, d'ordinaire si quiet, se trouvât agité ce jour-là par un troupeau de bêtes étranges aux écailles lumineuses.

Lorsque les cavaliers touchèrent un sol plus solide couvert de hautes graminées, des milliers et des milliers de sauterelles, importunées, prirent le ciel d'assaut. Le premier réflexe des hommes fut de s'immobiliser en levant les rondaches de manière à se prémunir d'une volée de flèches empoisonnées. Les insectes se cognaient aux morions, cuirasses et boucliers, glissaient parfois par le dévers d'un gorgerin à l'intérieur d'une armure ou frappaient un visage. En reprenant la marche, on ricassait çà et là de la méprise, éprouvant quelque gêne d'avoir laissé transparaître si facilement sa crainte d'être atteint par les projectiles ennemis, mais dès qu'un nouveau voilier de sauterelles surgit des herbes, on réagit de même, un genou à terre, rondache levée.

— *Capitán*.

Un *teniente* avait piqué sa monture pour se rapprocher de celle de de Navascués. Il pointa l'index ganté de métal de sa main dextre en direction des contours flous qui ceinturaient le marais au loin.

— Les cannibales, *capitán*. Ils sont accroupis au milieu des herbes.

— ¡ *Pardiez, teniente !* s'exclama de Navascués. Vous avez mille fois raison. Je ne les avais point vus, ces diables, avec leurs tatouages qui les fondent dans la broussaille.

— Défiez-vous !

Le cri venait de derrière les lanciers, un arbalétrier sans doute, plus nerveux, car sans armure. Plusieurs s'agenouillèrent, un voilier de sauterelles passa, bousculant les insectes précédents qui sautillaient encore parmi la troupe.

De Navascués tira sur sa bride, le regard enflammé : le poison causait plus d'appréhension aux godelureaux formant sa troupe que la perspective d'un corps à corps avec les Sauvages. Il fit pivoter son cheval pour lancer de sa voix à la raucité habituelle :

— Bande de pleutres ! Si les flèches qui vont nous tomber dessus sont empoisonnées, réjouissez-vous ! Cela signifie que les cannibales n'ont point intention de boustifailler vos chairs dans les cérémonies éventuelles qui s'ensuivront. À l'inverse, si vos cadavres leur paraissent par trop comestibles, ils s'en délecteront si bien que vos âmes les rejoindront dans les flammes éternelles.

Le *capitán* replaça sa monture dans la direction de la marche non sans jeter un regard ferme à *Fray* Vasco de ne point dédire sa théologie vaguement improvisée.

La ligne kalinago qu'on voyait dansotter sous les ondes de chaleur et le balancement des herbes s'éparpilla soudain, de sorte que, la seconde suivante, ce fut comme si ces guerriers n'avaient jamais existé.

— Ils se dispersent, fit remarquer le *capitán* Ortiz.

— Parons-nous à quelque traîtrise, dit un *teniente*.

— Vivement le combat, répliqua Zuazo en tirant son épée qu'il n'avait point encore dégainée. Il me tarde de découper de l'idolâtre.

— On ne ralentit point la marche, cria de Navascués par-dessus son épaule en notant, du coin de l'œil, qu'arrivait une nouvelle nuée de sauterelles.

Les hommes s'efforcèrent même de ne point lever les boucliers. Une vingtaine s'écroulèrent.

— *¡Por la sangre del Cristo! ¡Son flechas!* échappa un *teniente*. Ce sont des flèches!

— On ne ralentit point ! répéta de Navascués.

Les soldats enjambèrent les camarades tombés, n'osant les regarder, point qu'on éprouvât de la honte à abandonner un blessé derrière soi, c'était là coutume de combat, mais on répugnait à y reconnaître les symptômes du poison.

— Vous voyez la ligne d'attaque des cannibales, *don* Angel ?

— Je la vois, *don* Elberardo. (De Navascués se tourna à demi :) *¿ Caballeros ?*

Ses lanciers serrèrent les cuisses sur les flancs des montures, pertuisanes inclinées droit devant. Les officiers qui n'avaient point dégainé encore tirèrent l'épée au clair ; l'enseigne souleva mieux la hampe de son pavillon aux couleurs de la vice-royauté.

— *¡ A la carga !* À la charge !

On piqua des éperons à la même seconde, sauf, entendu d'avance, pour une dizaine de lanciers qui tardèrent le temps de permettre à des escopettiers de monter en croupe. Le galop simultané des bêtes ébranla la plaine, générant des volées d'insectes. Les herbes se couchèrent, l'eau des couloirs spongieux gicla… Çà, une famille d'iguanes versa sous les sabots déchaînés, là, un nid de hérons, là encore, celui de crabiers. On aurait dit le tonnerre lorsqu'il roule sous la jupe enténébrée des nuées, mais la lumière était violente et le ciel, nu.

Les lanciers dont les montures avaient haussé celles des officiers annonçaient déjà l'hallali face aux Kalinagos des premières lignes, sans arc ni zagaie, armés de *boutus*, qui les observaient fondre sur eux. Les cavaliers se réjouissaient de leur technique d'attaque qu'ils pensaient trop nouvelle pour les peuplades du Nouveau Monde. Aussi, quand ils virent les Naturels se pencher tout soudain et se relever incontinent en coinçant chacun contre leur pied la base d'un long pieu d'au moins deux toises, il était trop tard.

Sept chevaux, emportés dans leur galop, ne surent répondre à l'appel de la bride et s'empalèrent dans un vacarme de hennissements, d'armures qui s'entrechoquent et de bois qui éclate. Trois montures s'effondrèrent, non point touchées mortellement, mais brusquées par les pointes qui heurtèrent les caparaçons. Elles contribuèrent au chaos, faisant obstacle aux lanciers qui suivaient, obligeant ces derniers à casser la charge.

— ¡*Por la Madona*! jura de Navascués.

Son cheval se cabra en tournant sur lui-même avant de freiner sa course. Le *capitán* faillit vider les arçons, imité en cela par les autres officiers.

Une volée de flèches et de pierres suivit incontinent en direction des fantassins, isolant les cavaliers de leur arrière. Quelques piquiers tombèrent, quoique fort peu en regard du nombre de projectiles. Le marécage éclata alors de cris de guerre qui jetèrent une chape froide sur les Espagnols, lesquels onques n'avaient ouï pareille clameur tout droit sortie des géhennes. Une nuée de cannibales bondit des herbes où ils s'étaient camouflés pour s'attaquer aux « monstres de métal » au sol. À coups de *boutu*, on explosait les têtes, à la pointe des poignards, on ouvrait les abdomens. Les deux seuls lanciers désarçonnés qui n'eurent point le crâne broyé obtinrent quelques succès avec leur pertuisane, mais les Amériquains étaient trop nombreux et ils durent leur salut à l'arrivée des *caballeros* qui les entourèrent de leurs montures. Les épées pourfendirent quelques guerriers, mais la charge rompue, les cavaliers se virent rapidement débordés.

Du couvert des herbes, une voix cria tout à coup en français :

— Archers, frondeurs, visez les hommes sur les chevaux ! Ce sont les chefs !

L'ordre fut incontinent repris en caribe par une autre voix, à côté de la première.

De Navascués se redressa sur ses étriers, prêt à bondir par-dessus la ligne de Kalinagos devant lui. Il n'entendait mie au français, se moquait de la signification de l'ordre, mais devinait de quelle gorge il pouvait provenir.

— Cape-Rouge ! hurla-t-il. *Capitán* Cape-Rouge !

Une flèche se brisa contre son plastron, une autre dévia sur sa genouillère, une pierre claqua contre le caparaçon de son cheval, de sorte qu'il s'obligea à reculer de deux pas. Les officiers autour de lui recevaient leur propre écot de projectiles, sans plus de mal que lui, sauf pour Zuazo qui poussa un cri davantage de courroux que de douleur. Une flèche venait de pénétrer sa cuisse et le *teniente*, en évitant de la retirer pour se prémunir d'une hémorragie, la cassa d'un geste rageur.

— C'est là qu'on saura si elles sont empoisonnées, railla-t-il d'un ton bravache et en piquant des deux. En attendant, j'en emporte deux ou trois avec moi en enfer.

Et les moulinets qu'il imprima à sa rapière tinrent sa promesse.

Les escopettiers embarqués en croupe avec les derniers lanciers venaient de prendre position. Derrière eux, à la course, approchaient les piquiers.

— ¡ *Fuego* !

La fusillade éparpilla la masse kalinago, le temps que les piquiers arrivassent pour contourner les cavaliers et former une ligne offensive qui ouvrirait le front ennemi. L'enseigne, toujours à cheval, agitait son pavillon au milieu des soldats, stimulant les troupes de ses cris de guerre et de ses railleries contre les opposants. Non loin, une trompette persistait à réclamer l'hallali. Sa monture gira ainsi que dans une farandole lorsqu'une zagaie choqua avec force contre le métal à son flanc au moment où les piquiers reçurent l'ordre d'avancer.

L'unité espagnole, formée à ce type de combat rapproché, s'avéra fort efficace. Bout de la hampe tenu à hauteur d'épaule avec le bras senestre, bras dextre pour en guider la pointe sur une longueur de quinze palmes — qui leur paraissait fort courte puisque les unités hors de la marine usaient de piques de vingt-cinq palmes —, ils pointaient l'hast sur le visage ou la poitrine de leur adversaire. Les lourds *boutus* et *machanas* des Naturels n'avaient point la portée pour s'opposer aux piques, et les guerriers tombèrent nombreux avant de se résigner à reculer.

— Archers! hurla la voix de Cape-Rouge, incontinent traduit par Cassavax. Visez cette première ligne de soldats. Ils n'ont point de vêtement de métal.

Mais les Amériquains munis d'arcs ou de frondes avaient par trop reculé en cédant le terrain aux guerriers armés de *boutus*, aussi ne disposaient-ils plus de l'angle adéquat pour voir au-delà des hautes herbes et viser sans toucher les leurs. Adonc, le combat ne pouvait se poursuivre qu'au corps-à-corps.

— Qu'ils se dissimulent le plus possible dans les herbages et les roseaux, dit Cape-Rouge à Cassavax. Qu'ils profitent du terrain pour se garantir des armes à feu. Qu'ils surgissent de partout, apparaissent au dernier moment aux côtés de chaque adversaire. Allez! Sang-Diou! Traduis, bougre d'âne!

Cassavax s'exécuta tandis que le pirate, deux pistolets à la mèche allumée dans les mains, son sabre à moitié tiré du fourreau, quittait le couvert d'un buisson où il s'était retranché pour filer dans la mêlée. Il n'en pouvait plus de rester à l'arrière en s'efforçant d'interpréter les mouvements devant lui afin de diriger la horde de guerriers. Il ressentait par trop l'envie d'en découdre à son tour.

Surtout que, juste au-delà de la ligne d'escopettiers occupés à recharger, dans une trouée de la ligne de piquiers, il avait repéré depuis un moment son ennemi le plus affirmé : le *capitán* Luis Melitón de Navascués. La silhouette longiligne de l'Espagnol s'agitait sur sa monture, imprimant avec sa lame les mauresques meurtrières qui fendaient leur lot de cannibales. Sa voix crachait jurons grossiers — jamais blasphématoires — et commandements, tandis que la mêlée était devenue telle qu'il eût mieux valu qu'il laissât chacun accomplir son devoir au mieux de ses aptitudes.

— De Navascués !

À cette voix, le *capitán* tira si fort sur sa bride que son cheval se cambra.

— Qui ce fol appelle-t-il de la sorte ? s'informa Gonzalo Zuazo qui, visiblement, ne semblait souffrir d'aucun empoisonnement. Laissez-le-moi détromper, *capitán*.

Le *teniente* allait éperonner en direction du pirate qui, la ligne de piquiers franchie, pointait ses deux armes à bout de bras, mais de Navascués le repoussa avec son cheval, sans égard pour sa cuisse blessée.

— Il est à moi! rauqua-t-il, son regard d'acier fixé sur Cape-Rouge. Qu'on ne touche à cet homme, il m'appartient.

Il planta les éperons dans le flanc de sa monture et se mit à galoper face aux deux bouches de pistolet qui le visaient. Cape-Rouge appuya sur la première détente, entraînant le lumignon de la mèche en direction du pulvérin, mais il ne mirait point de Navascués, plutôt un arquebusier que, du coin de l'œil, il avait repéré en train de le coucher en joue. La balle atteignit le soldat au-dessus du sourcil, trouant l'os et le cerveau. La mèche de son fusil, chien en position, mourut avec lui dans le sol gorgé d'eau.

Cape-Rouge, sans lâcher de Navascués des yeux, jeta le pistolet à ses pieds. Pointant toujours le second de la main senestre, il profita de sa dextre libérée pour tirer complètement son épée. Le cheval du *capitán* arrivait sur lui sans ralentir.

La technique de combat était simple, mais éprouvée mûrement. Dès que l'Espagnol vit la fumée du pulvérin prendre feu, il tira fort sur sa bride, obligeant sa monture, une fois encore, à freiner en se cambrant. Le poitrail de la bête servit lors de large rondache et la balle du pistolet y pénétra entre deux courroies de cuir laçant le caparaçon.

L'animal hennit en retombant sur ses pattes de devant. Il ne put tenir debout plus d'une seconde et commença de s'effondrer. De Navascués avait déjà vidé les étriers et enjambait la selle pour sauter à terre. En dépit du poids de son armure, il se reçut solidement sur ses deux jambes tandis que sa monture tombait dans les herbages dans un giclement d'eau.

— De Navascués, c'est maintenant! grinça Cape-Rouge, une écume salivaire gouttant dans sa barbe, les yeux exorbités.

— ¡Te vas a morir, luterano!

13

Devenus sourds à la bataille qui les avoisinait, aux cris, aux détonations, aux sifflements de la mitraille, des balles, des pierres et des flèches, les deux hommes se mesurèrent un moment, n'existant plus que pour cet instant auquel ils aspiraient depuis trois ans, depuis que, tour à tour, sans égard au nombre de cadavres disséminés dans leur sillage, chacun avait détruit le rêve de l'autre.

— Remembre-toi Lucas, papiste! Remembre-toi Lilith!

— *¡Recuerdate el tesoro a Virgen-Santa-del-Mundo-Nuevo!*

Ayant toujours eu à combattre par canons, navires ou armées interposés, les deux ennemis s'observaient de près pour la première fois. Étrangement, ainsi qu'ils se seraient côtoyés depuis toujours, chacun reconnaissait dans les traits, les expressions, le regard de l'autre, celui qu'il abhorrait. Bien curieuse facétie que celle-là, due à la haine peut-être, ou au hasard simplement, qui avait permis au premier comme au second, pendant des années, de s'imaginer à l'identique l'image de son rival onques croisé à moins de deux encablures de distance.

Avantagé par son armure, de Navascués élut de ne point user de sa biscaïenne* que, de toute façon, il maniait maintenant fort mal avec son bras senestre un peu tors. Il porta le premier assaut par une attaque composée une-deux que Cape-Rouge para sans rompre, à l'opposite, en avançant même d'une demi-semelle. Toutefois, au lieu de riposter, le pirate se contenta d'une simple attaque au fer adverse par battement, libérant les deux lames. Soit il voulait mieux étudier son rival, soit il se réservait le plaisir de goûter le début de cet affrontement si mûrement souhaité.

Les deux ferrailleurs s'observèrent encore un moment, silencieux, regard ancré dans celui de l'autre, pupilles enflammées du pirate disposées à fondre celles d'acier de l'Espagnol. Opposées en tierce, leurs lames se touchaient parfois de l'estoc, se jaugeaient, tels deux dogues, crocs visibles sous leurs babines retroussées, qui s'efforceraient de s'intimider avant de se sauter à la gorge.

La deuxième attaque vint encore de de Navascués. Il y alla d'un coupé que

Cape-Rouge dégagea en ripostant cette fois d'une prise de fer et d'une ballestra* lourde — si son embonpoint avait diminué, il n'avait point tout à fait récupéré de son jeûne imposé. De Navascués ouït le crissement de l'estoc contre le fer de son plastron et ne put s'empêcher d'y baisser les yeux. Ce fut suffisant pour que Cape-Rouge, emporté par son élan, le brusquât d'un coup d'épaule qui l'obligea à rompre de deux semelles.

— ¡Por la Madona, gordo puerco!

— Comme tu dis, cornuto! Même si je n'y entends mie.

Profitant de cette seconde où l'Espagnol semblait déconcentré, Cape-Rouge y alla à son tour d'un coup droit que de Navascués para en tierce avec peine. Ce dernier tenta une riposte, moins pour toucher son adversaire que pour l'obliger à rompre, mais son pied senestre sur lequel il s'appuyait glissa dans la terre noyée. Il se rattrapa de justesse avant que Cape-Rouge n'usât de son avantage. Les deux hommes soufflèrent en maintenant leurs fers croisés aux deux tiers de la lame. De Navascués, d'un mouvement peu inspiré, feinta un contre et tenta incontinent de couler, mais Cape-Rouge céda facilement, sans rompre, se positionnant en tierce. Depuis le début de l'engagement, il démontrait de bons réflexes, mais une certaine lourdeur, ainsi que l'homme peu accoutumé de se mesurer dans les règles de l'art, plutôt à ferrailler dans les ruelles... ou sur les ponts abordés. De Navascués l'avait noté et réfléchissait à la manière d'user du détail à son profit.

Il fut d'autant plus surpris quand Cape-Rouge se fendit en tierce, retraita, revint en prime, en tierce, et en prime encore. L'Espagnol, après une passe-avant, reçut un coup en écharpe si inattendu que son morion s'ouvrit à la hauteur de la visière.

Le *capitán*, étourdi, perdit pied et se retrouva assis dans deux pouces d'eau. Le temps d'arracher son casque d'une main rageuse, il aperçut la lame de Cape-Rouge, tenue haute, prête à s'abattre sur lui. En une fraction de seconde, de Navascués prit conscience qu'il tenait toujours sa rapière dans sa main dextre et la leva pour parer. Il n'en eut point loisir.

Cape-Rouge gira à demi en ployant les genoux, une flèche d'arbalète plantée à la hauteur des reins.

⚓

Le *teniente* Gonzalo Zuazo ouvrit les yeux. Les herbes dansaient au-dessus de lui ainsi qu'une cantonnière javelée, élimée par les intempéries. Le soleil chauffait tant sa cuirasse qu'elle le brûlait à hauteur du col. Dans le ciel blanc de lumière, des oiseaux planaient en un vol orbiculaire. Le *caballero* prit conscience du poids de son cheval avant de constater la douleur à sa cuisse et à son crâne. Il avait un goût de sang dans la bouche, mais non point à cause d'une blessure interne, plutôt à cause de cette pierre qui l'avait frappé au front et avait ouvert un sourcil. Le saignement, avant de s'assécher, avait eu le temps de couvrir son visage et ses lèvres.

Après moult contorsions et grimaces, Zuazo parvint à s'extirper de sous la carcasse de sa monture. La pointe cassée de la flèche était restée dans sa cuisse, ayant préservé sa blessure de trop saigner. Une autre bonne nouvelle : les Sauvages n'avaient point usé de poison. Peut-être la quantité produite s'avéra-t-elle insuffisante, peut-être ces cannibales en usaient-ils seulement en certaines circonstances, ou s'en servirent-ils lors du premier combat pour semer le doute lors des affrontements suivants, ou avaient-ils dessein de manger leurs victimes après la présente bataille… Qui saura jamais?

Soudain, un autre doute assaillit le *teniente*, et lui qui venait de se remettre sur pied se jeta de nouveau à l'abri des hautes herbes. Qui avait gagné? Qui, des Espagnols ou des Sauvages, exerçait maintenant son empire sur les marécages?

Il tendit l'oreille, mais les rumeurs de voix qu'il percevait au loin pouvaient tout aussi bien provenir d'une langue que d'une autre. Il tâtonna à la recherche de son épée et la trouva, elle aussi, à demi enfouie sous la carcasse du cheval. Il s'en saisit, toujours aux aguets. Un râle suivi d'un juron en castillan ne lui apprit guère sinon qu'un soldat agonisait à quelques pas.

Le son d'herbes foulées et de pieds qui pataugent dans l'eau trahit qu'on venait dans sa direction.

Son poids appuyé sur sa seule jambe valide de manière à bondir à l'aide d'icelle, poignée de l'épée tenue à deux mains, il épia les fourrés. Lorsqu'il perçut enfin une silhouette, il déplia le genou et se détendit d'un coup, ainsi qu'un ressort, lame à hauteur d'épaules, prête à fendre. Un *cabo* recula en hoquetant.

— ¡ *Te… teniente!* Vous m'avez fait peur.

Dans ses mains, le sous-officier serrait bagues, boucles et piécettes dont il dépouillait les cadavres.

— On… on a gagné? demanda Zuazo.

— Par la Sainte Madone, lieutenant! Et comment! On marche partout sur des cadavres de cannibales. Et voyez l'attroupement, là-bas. Notre commandant se prépare à sacrifier le pirate Cape-Rouge tombé entre ses mains. Le drôle est mortellement blessé, mais il mord toujours, croyez-m'en. Un vrai dragon.

Zuazo souleva son bras senestre en laissant pendre à la main dextre son épée vers le sol.

— Aidez-moi, ordonna-t-il en signifiant vouloir s'appuyer sur les épaules du *cabo*. Je veux voir.

Le piéton s'empressa de glisser son butin dans un sac pendu à sa ceinture et masqua son dépit de devoir abandonner à d'autres les quelques biens de ses camarades tombés au combat.

— Av… avec joie, *teniente*.

En une certaine mesure, l'homme avait dit vrai : dans la direction menant à l'attroupement, ils croisèrent deux fois plus de cadavres de cannibales que de soldats espagnols. Le marécage s'était carminé de tout le sang épanché et les oiseaux, par voiliers, commençaient de se jeter sur les corps étendus, même de ceux qui, encore agonisants, défendaient leurs yeux et leurs lèvres du peu d'énergie qu'il leur restait.

— Que le feu Saint-Antoine t'arde, fils-de-rien !

Et Cape-Rouge cracha vers de Navascués une glaire mêlée de salive et de sang. Une partie de ce qu'il lança lui revint au visage, car on le tenait étendu sur le dos — souffrant encore plus de la flèche qui lui pénétrait le rein —, ses bras retenus, l'un par Ortiz, l'autre par un *teniente*, les jambes emprisonnées sous le poids de deux piétons fort massifs.

— Je goûte ce moment, saleté d'hérétique, tu n'as point idée, feula de Navascués en caressant du bout des doigts la lame de sa biscaïenne. Si toutes les épreuves dont Dieu m'a victimé pendant les derniers mois visaient à me faire mieux savourer cet instant, alors je Lui rends grâce ; cela valait la peine.

Le pirate n'entendait miette au castillan, aussi se contenta-t-il de répliquer d'autres malédictions en français enrobées de mots grossiers. De Navascués, sans plus de morion, ses longs cheveux gris ramenés sur la nuque, visage et barbe maculés de sang, se laissa tomber à genoux au-dessus de la tête de Cape-Rouge. La poignée de sa dague maintenant enveloppée de ses deux poings, il scrutait le visage de son ennemi, semblait vouloir s'assurer que celui-ci comprenait bien ce qui allait suivre.

— Ton ventre, parpaillot, je vais l'ouvrir de bas en haut pour le bien offrir aux charognards qui s'en délecteront. À des cannibales tu t'es allié, à d'autres bêtes tes chairs profiteront.

Cape-Rouge n'eut guère à entendre la langue pour éprouver toute la détestation coulant des paroles de l'officier espagnol. Il ne sut que répondre lorsque ce dernier se pencha sur lui, pointe de la dague orientée vers son abdomen. Ses quatre membres entièrement paralysés par les soldats, il ne lui restait plus qu'à attendre que la dague ouvrît son chemin en ses entrailles. Ni sa propre revanche ni celle de Lucas ne se consommeraient.

Un accès de rage le submergea à cette pensée.

— Nooon!

Cape-Rouge, s'appuyant sur les fesses, cou étiré à l'extrême, lança la tête en avant en arquant le dos avec violence. Son visage plongea dans l'entrejambe du *capitán*. Il en repoussa le tissu du haut-de-chausse jusqu'à ce qu'il reconnût, contre sa bouche grande ouverte, la souplesse de la chair. Incontinent, et de toute la haine qui l'habitait, il referma les mâchoires sur les testicules.

Dans un hurlement si horrible que tous les hommes se figèrent autour de lui, de Navascués immobilisa son geste, terrassé par une douleur au-delà de ce qu'il avait onques imaginé, même pour ses victimes les plus haïes. Main senestre sur la poitrine de Cape-Rouge, jambes contorsionnées pour tenter d'échapper aux dents forcenées, de Navascués, fou de douleur, mit un moment avant de se rappeler qu'il tenait toujours une dague dans son poing dextre. Il l'abattit.

La lame pénétra la poitrine du pirate, mais sans toucher le cœur. Le captif, animé d'une furie bien plus puissante que sa propre souffrance, refusa de lâcher prise, ses maxillaires soudés dans l'entrejambe du *capitán*. L'Espagnol ne trouvait plus d'autre moyen de se défaire du marin que de le frapper avec les poings sur le thorax et aux épaules, mièvres défenses qui ne donnaient aucun résultat. C'est ainsi qu'Ortiz lâcha le bras qu'il retenait afin de se saisir de sa propre biscaïenne à son fourreau. À la même seconde, le *teniente* qui tenait le bras opposé avait élu d'agir de même.

Le réflexe de Cape-Rouge fut immédiat. Il relâcha les mâchoires, lança une main vers la tignasse grise de de Navascués, le ramena violemment vers lui et, de son autre main, saisit la dague plantée en sa propre poitrine. Sans même éprouver de douleur en la retirant, de ce grognement de fureur dont il usait parfois, il cria en vidant ses poumons du dernier souffle dont il les avait voulu remplir.

— Pour toi, Lucas !

Épuisant son ultime énergie, il donna un coup d'une violence telle que la biscaïenne pénétra la tempe du *capitán* jusqu'à la garde.

Cape-Rouge expira une seconde après son ennemi juré, la poitrine lardée des coups de couteau frénétiques des officiers espagnols.

INTERMEZZO

Je m'interromps et constate que les juges m'observent, yeux arrondis, lèvres entrouvertes, d'un air qui ne trompe mie : les voilà entièrement gagnés à mon récit. Aucun ne se plaint désormais que je m'écarte inutilement des points touchant le procès.

Je toussote et attends que l'un d'eux veuille bien reprendre le fil de l'interrogatoire. C'est le président qui s'ébroue en premier. Après s'être raclé la gorge, il demande :

— Et… euh… lors donc, les Espagnols remportèrent cette bataille ?

— Oui, Votre Seigneurie.

— Ont-ils rasé la communauté cannibale de l'île ?

— Non point… enfin, point tout à fait. Dès après la mort du pirate Cape-Rouge, les troupes, sous le commandement du *capitán* Ortiz, se sont remises en marche en direction des villages. On exhorta chacun à respecter les desiderata de Son Excellence le vice-roi, de ménager les Indiens, mais vous savez ce que c'est que de retenir des troupes en plein assaut…

— Non.

— En fait, Votre Seigneurie, l'entrée des piétons à l'intérieur des villages cannibales ne se passa point plus mal qu'en toute bataille du genre. On peut même affirmer qu'une certaine discipline fut maintenue, ce qui permit à quelques centaines d'individus de la communauté de survivre, répondant de cette sorte aux souhaits de Luis de Velasco. Parmi les épargnés, on retrouva la régente Iríria et le grand *bóyé* Jali, plusieurs autres prêtres, des *ouboutous*, on retrouva également Baccámon et sa femme Banna, enfin, il y survécut suffisamment de monde pour espérer recréer la population de l'île.

— Et le trésor?

— Nul ne savait qu'existait un trésor, Votre Seigneurie, sinon, au certain, on s'en serait informé.

— Nul ne savait? Comment est-ce possible? Il s'agissait de l'une des dispositions du contrat… enfin, de l'entente entre de Navascués et le vice-roi.

— Certes, mais cette entente relevait de tant de secrets — ne serait-ce que de la véritable identité du *capitán*, par exemple

— que, hormis de Navascués, aucun autre officier ni aucun capitaine de navire ne connaissait ce détail de l'expédition. Sans doute, pour éviter convoitise et traîtrise, avait-on renseigné un nombre réduit de militaires et ces derniers, par quelque fâcheuse circonstance ou par punition divine — qui peut savoir —, avaient tous péri au combat. Peut-être aussi *Fray* Vasco avait-il été le seul tenu dans ce secret. Mais *Fray* Vasco avait été tué d'une flèche.

— Comment ce détail de l'entente est-il lors venu à votre connaissance ?

— J'ai jadis connu un vieux Mixtèque* dont le frère était serviteur du vice-roi. Il m'a instruit de nombreux secrets et anecdotes concernant les Espagnols de la *Tierra Firme* et notamment sur les représentants du pouvoir.

— Bon. Et ce de Navascués, au moment de faire périr Cape-Rouge, le sachant seul survivant des siens, seul à connaître l'emplacement du trésor, ne s'intéressait point à l'interroger à ce propos ? Était-il disposé à l'occire sans même le faire parler ?

— J'ai longtemps réfléchi à ce mystère, Vos Seigneuries, et je crois que deux éléments expliquent ce comportement du *capitán* Luis

Melitón de Navascués : un, la fortune n'intéressait plus cet officier qui, de toute façon, se
savait condamné dès son retour à Mexico ;
deux, la rage qui l'habitait au moment d'affronter son ennemi si honni lui a sans doute
fait perdre toute notion autre que celle de la
vengeance.

— Cela se tient.

— Peut-être aussi — mais ce n'est là
qu'hypothèses, Vos Seigneuries, nous n'en
saurons jamais miette —, peut-être de
Navascués pensait-il obtenir ces informations
des autres pirates lorsqu'ils reviendraient
d'Afrique.

— Tiens ? Nous les avions oubliés, ceux-
là.

— Les Espagnols, eux, ne les avaient
point mis en oubli. Ils laissèrent une centaine
de leurs soldats sur Acaera afin de solidifier
les défenses de la plage d'arrivée pour le jour
où la *San Pedro* reparaîtrait. Sauf que...

— Sauf que ?

— Ils ne s'attendaient point à les voir
revenir si tôt.

14

À l'opposite du *capitán* Angel Yágüez
— ou Luis Melitón de Navascués, ainsi que
l'avait appelé le pirate Cape-Rouge —, le
capitán Elberardo Ortiz refusa de s'em-
barrasser de l'*Ouragan*. Surtout que, pour
guider ce navire, il lui aurait fallu scinder
ses équipages déjà trop amoindris, à la fois
par les combats et par les hommes qu'il
laissait sur place.

— Vous ne craignez point qu'une partie
des graines de gibet qu'on abandonne sur
l'île afin de combattre les pirates à leur retour
ne se servent du galion pour quitter leur
poste et fuir leurs responsabilités ? demanda
un *teniente* à son supérieur.

L'après-midi se trouvait déjà fort avancé
le jour choisi pour son départ et le *capitán*
n'avait point envie de tergiverser.

— Point avec le lieutenant Zuazo qui, en
dépit de sa blessure, a accepté de commander
la garnison.

— Et si ce pauvre *teniente* ne survivait point à sa blessure… ou si quelques têtes brûlées faisaient en sorte qu'il en mourût?

Ortiz fixa un instant son subalterne dans les yeux.

— Boutez le feu au galion! ordonna-t-il enfin.

Lorsque le *Don Carlos*, le *San Juan* et le *Cadix Hermosa* quittèrent le littoral d'Acaera, une fumée dense montait du tillac de l'*Ouragan*. Un grain fort s'était levé subitement avant la fin du jour et, accaparé par les manœuvres devenues difficiles et sa hâte de retrouver la *Tierra Firme* en cette saison des pluies qui s'amorçait, le *capitán* Ortiz ne pensa plus à ce qu'il laissait derrière.

Violente, quoique brève, l'averse étouffa les flammes sur le galion. Câble d'ancre consumé, drossé par les vagues, le navire s'échoua sans trop briser, gîtant par tribord dans les sables qui menaient à la plage d'arrivée.

⚓

Lorsque Lionel découvrit le bourg d'Ayaou razzié, sa propre maison détruite, les restes des pirates massacrés à coups de *boutu* et de *machana*, percés de zagaies et de flèches, son visage, au lieu de s'effondrer dans la perspective d'avoir perdu sa femme et son fils, se durcit plus encore. L'île eût-elle été détruite par les Espagnols, il eût jugé l'acte de bonne guerre, mais par la trahison des siens, il ne l'y pouvait opiner.

— Hé, hé! Anahi a sans doute trouvé refuge chez ses parents, s'efforça de le rassurer Santiago. Ne te fais point martel.

— Et l'*Ouragan*? s'inquiéta Grenouille. L'aurait-on coulé? Aucun des drôles sur la Licorne ne le saurait faire naviguer.

— Mon frère! Mon frère! sanglotait Philibert qui venait de trouver un squelette méconnaissable, à demi mangé par les oiseaux, mais toujours coiffé de ce foulard gras de crasse qui, onques, ne quittait son jumeau.

Mana et les siens, de farouches guerriers à la solde du cacique blanc, ne se tenaient plus d'impatience.

— Vite ramener nous Acaera, grinça l'*ouboutou*. Vite retrouver nôtres. Vite comprendre quoi arriver.

Lorsque la *San Pedro* traversa le bras de mer qui séparait les deux îles, elle rencontra une *piragua* avec deux pêcheurs à bord. Au lieu de se réjouir de retrouver les leurs, les Kalinagos s'enfuirent en direction de la terre.

— Voilà qui n'est point de bon augure, marmonna Grenouille.

Lionel restait coi, regard glacé dans un visage de roc. On contourna la plage de la Corne et la mangrove afin de retrouver la plage d'arrivée. Les mâts à demi brûlés de l'*Ouragan* apparurent avant la longue cicatrice de pierres, pointillée de canons, plus haut, au cœur de la feuillaison. Un drapeau aux couleurs de la Nouvelle-Espagne flottait au milieu.

— Quoi arriver céans? murmurait Mana, appuyé au bastingage, dodinant du chef, incrédule.

Trois gerbes d'eau suivies incontinent par la détonation lointaine des bouches à feu indiquèrent que la *San Pedro* n'était point bienvenue dans le voisinage de l'île.

— Mouillez hors de portée, commanda Lionel qui n'ouvrait la bouche, désormais, que pour ordonner, non plus commenter.

Près de lui, Nazareno, s'efforçant de calquer la mine ténébreuse de son modèle, affichait une grimace qui, à cause de son bec-de-lièvre, aurait pu tout aussi bien évoquer un souris.

— *Piragua* !

Un Kalinago pointait un bras vers le large, là où un autre esquif fendait les vagues. Trois pêcheurs, souquant avec force, espéraient rejoindre la rive en évitant la caravelle.

— Canot à la mer ! cria Lionel incontinent. Rattrapez-moi cette embarcation et ramenez-moi les prisonniers !

— ¡ *Por el diablo* ! Hé, hé ! jura Santiago. On va leur donner une telle gêne* qu'ils vont nous bailler même leurs fantaisies intimes. Hé, hé !

Santiago avait raison — sauf pour lesdites fantaisies. Les hommes révélèrent tout et sans qu'il fût nécessaire d'user de la gêne. Tous trois appartenaient au village de Bálaou, celui-là même dont Mana était l'*ouboutou*. Ils pleurèrent à retrouver leur capitaine et à lui avouer la terrible scission qui avait déchiré l'île. On précisa en outre que, entre les rochers là-bas, tu vois, *ouboutou* ? au milieu de ce petit bouillonnement que font les vagues en s'infiltrant entre les étocs, on perçoit un corps de fille coincé depuis des semaines. C'est Anahi, parfaitement, la fille de Baccámon, qui a souffert grande honte et vileté lorsque son père fut instruit de ne pouvoir sacrifier son petit-fils à la vindicte des dieux.

Lionel, à la tête d'un petit groupe d'hommes, profita du jour fermant et d'un rideau de pluie pour récupérer les restes de sa bien-aimée à l'abri des tirs espagnols. Il veilla le corps pendant toute la nuit, seul en sa cabine, Nazareno assis à la porte pour grimacer vers quiconque s'approchait de trop près, ainsi que le chien qu'il était devenu. Lionel réapparut au matin, yeux secs, lèvres blanches, et, dans le plus grand silence, entouré de ses compagnons les plus proches, offrit à l'éternité d'unir ses deux plus grands amours : la mer et son épouse.

— Ce soir, entama-t-il à la fin de la cérémonie, tandis que les derniers remous nés du bouillonnement du corps dans l'eau ne s'étaient point encore fondus au milieu des vagues, ce soir, à la faveur de l'obscurité, nous investirons la plage. Nous nous cacherons à l'orée de la forêt et y attendrons les premières lueurs de l'aube. Ensuite, nous assaillirons les défenses espagnoles. Je ne veux aucun prisonnier.

Mais le soir venu, quand arriva le moment de mettre les youyous à la mer, il fallut bien se rendre à l'évidence.

— Il ne reste aucune embarcation, mordiable! criait Grenouille par-dessus les sifflements du hourvari. Tous les câbles ont été coupés!

— Hé, hé! De dix à douze drôles parmi l'équipage initial de Zúñiga ont disparu. M'est avis que la fidélité de ceux-là n'était point acquise tout à fait. Hé, hé! Voilà des papistes qui préfèrent rester pauvres catholiques que riches huguenots.

Le strabique, louchant plus que jamais devant le regard froid de son nouveau capitaine, attendit une réaction qui tarda.

— Combien reste-t-il d'Espagnols recrutés avec la *San Pedro*? demanda enfin Lionel.

— Une huitaine encore, dix au maximum, hé, hé!

— Prends Urael avec toi et tous les Kalinagos…

Lionel hésita tandis qu'il évaluait mentalement quelque aboutissant incertain. Santiago osa précipiter sa pensée.

— Et?

— Tuez-les tous!

Le Sévillan fronça les sourcils un tantet.

— Hé, hé! Tous? Si ceux-ci n'ont point suivi leurs camarades, sans doute restent-ils fidèles à notre...

— Tous, je te dis. Ceux qui n'ont point suivi les mutins devaient pourtant être instruits du complot. Ils n'ont avisé personne; ils sont aussi coupables.

— D'ac... d'accord, hé, hé! Mais, excuse-moi, Lionel, je dois quand même te mettre en garde: nous ne serons plus assez nombreux, par après, pour prendre l'île d'assaut, vaincre les Espagnols et les Indiens qui nous seront hostiles. Hé, hé! Nous ne...

— Nous aurons tout le monde qu'il nous faut.

— Ah? Mais qui, nous?...

— Les Nègres.

D'hébétude, Santiago exposa le peu de dents qu'il lui restait. Ses yeux, de manière alternative, ainsi qu'il ne saurait plus duquel user, se posaient sur l'expression neutre de Lionel.

— Les... Nègres... parvint-il à répéter.

— Oui, les Nègres, Santiago! Tu as constaté leur bravoure quand nous nous sommes attaqués à eux? Tu vois avec quelle fierté, quelle force ils nous narguent malgré leur captivité, malgré l'état de servitude dans lequel nous les tenons ? Je ne veux plus des Nègres comme d'une vulgaire marchandise ; je les veux avec moi, à mes côtés, pour se battre. Si cette race a été bannie par Dieu ainsi que le prétendait le Jésuite, il faudra qu'on m'explique pourquoi elle me paraît plus digne d'admiration que les chrétiens.

Grenouille, qui s'était approché, tempéra :

— Il n'est point acertainé que les Africains agréeront de se battre aux côtés de ceux qui les ont arrachés à leur pays.

— Voici la proposition à leur bailler : à tous ceux qui accepteront de nous seconder dans l'attaque d'Acaera, après la victoire, j'offre, à leur préférence, le retour en Afrique ou le service sur le navire. À leur gré. S'ils ignorent cette occasion, quel autre destin peuvent-ils espérer ? Que nous les allions vendre tel que prévu ? Que nous les lâchions dans la nature pour tomber aux mains de nos ennemis qui en feront des esclaves aussi ?

Lionel leva un index et ajouta :

— Ça me fait penser qu'il faudrait peut-être garder encore ce Ximeno vivant. Point que ce drôle me soit réjouissant, mais il nous sera utile pour offrir leur liberté aux Nègres.

— Hé, hé! Nous sommes déjà moitié blancs, moitié rouges…

— On ajoutera une troisième moitié noire, répliqua Lionel en échappant cette fois — oh, bien faiblement — un souris à la commissure de ses lèvres.

⚓

En deux jours, on fabriqua quatre petits radeaux à partir des infrastructures de bois ayant servi à transporter les Africains dans les cales. Des cent dix-huit hommes faisant partie de la cargaison d'esclaves, tous, en partie parce que leur intérêt reposait sur la victoire des pirates, oubliant les sévices endurés pendant la traversée, acceptèrent de combattre. D'eux, quarante-six agréèrent à l'idée de devenir marins par la suite, soixante-sept élurent de retourner en Afrique, les cinq restants optèrent pour se décider après la bataille. Pour les presque deux cents femmes et enfants, la question ne se posa point: ils retrouveraient leur pays.

Dans le gris du matin brumassant, tandis qu'ils avaient atterri la veille au soir et avaient passé la nuit à attendre dans les fourrés, Lionel, accompagné des vingt-deux

hommes blancs qui lui restaient, d'une quinzaine de Kalinagos fidèles jusqu'à la mort à
Mana, d'Urael et de cent dix-huit Nègres,
entreprit l'approche des défenses espagnoles.
On ne s'étonna point des cadavres croisés
sur la piste ni des sapes tapissées de pieux,
car les pêcheurs prisonniers en avaient fait
mention.

« Les hommes de de Navascués ont payé
chèrement leur tentative de débarquement
par la plage, songea Lionel. Quelle idée de
foncer dans une forêt avec la cavalerie ! »

On parvint au pied du muret aux canons
tandis que le soleil n'avait point encore
asséché le brouillard. Il s'agissait d'une
construction fort rudimentaire, montée à la
hâte par Cape-Rouge et les rebelles d'Acaera,
et point encore renforcée par les Espagnols.
Des arbres abattus et des pierres s'empilaient
non loin, matériaux prévus à ce dessein. Il
ne s'agissait lors que d'un support pour les
bouches à feu plutôt que de remparts comme
tels. Nulle porte ne donnait accès à l'intérieur, il suffisait de contourner les angles
pour prendre l'ouvrage à revers. Sur un
terrain vague voisin, ainsi que l'avaient indiqué les pêcheurs, des abris sommaires
tenaient lieu de quartiers pour la troupe.

La rapidité de l'attaque équipolla sa violence.

— ¡ *Alerta* !

Dès le premier cri d'alarme des sentinelles, les cent cinquante-sept hommes aux ordres de Lionel fondirent au milieu de quatre-vingt-huit piétons à moitié endormis… et des douze déserteurs de l'équipage de Zúñiga. On avait cru les pirates trop peu nombreux et plus personne ne s'attendait à l'assaut.

Nul n'avait songé aux Nègres.

Pistolets, arquebuses, *boutus, machanas*, flèches, épées, poignards ou simples gourdins trouèrent, éclatèrent, brisèrent, percèrent et fendirent leur lot de crânes, de gorges et de poitrines. Le tout advint si rapidement que, au terme de l'offensive, chacun s'observait, vaguement hébété, frustré même, de n'avoir déjà plus de cible sur qui épancher fureurs et frustrations.

— Si prisonniers kalinagos point mentir, fit remarquer Urael à Lionel, rester moins que vingt Espagnols dans villages plus loin.

— Hommes mon village, même prisonniers, point mentir à moi, intervint Mana qui se trouvait tout près.

313

— Allons investir les villages, alors! ordonna Lionel incontinent suivi par ses troupes qui se bousculaient derrière lui, chacun espérant profiter d'un ennemi à tuer, car tous savaient qu'il n'en restait plus pour tout le monde.

Sauf si les Kalinagos de l'île s'aheurtaient* à combattre les pirates parmi lesquels œuvraient les hommes restés fidèles au cacique assassiné.

⚓

La totalité des soldats espagnols qui vivaient hors les remparts avaient élu campement dans le village de Bálaou, le fief de Mana. Non seulement les hommes de la place, mais les femmes aussi, voyant apparaître leur *ouboutou*, se retournèrent contre les piétons d'Ortiz. Ceux-ci étaient au nombre de seize. Deux seulement eurent le temps d'armer leur arquebuse, trois, leur arbalète, avant de mourir qui d'une lame de silex dans la nuque, qui d'un coup de *boutu*, qui, même, d'un *coy* d'eau bouillante versé par une femme dans son gorgerin et de se trouver étranglé par une corde de *maho*.

Si les villageois s'étonnèrent de la horde de Nègres accompagnant les leurs, ils ne s'en effrayèrent point. Il était déjà révolu, le temps où ces êtres à la peau *boucanée* leur avaient paru émerger, avec les démons, du même bouillonnement enflammé que les pierres des volcans.

— *Soy el teniente Zuazo, y yo mando esta guarnición.*

— Hé, hé! Il dit s'appeler Zuazo et commander la troupe restée ici. Hé, hé!

L'officier, brûlant de fièvre, s'efforçant de se tenir droit contre sa béquille à cause de cette vilaine blessure purulente à la cuisse, défia Lionel du regard. Le jeune capitaine en ressentit une morsure ancienne, un vieil affrontement avec un autre *teniente* de cette sorte. «La peste de la morgue espagnole!» jura-t-il en lui-même.

Il tira son épée et, toujours muet, la planta sans plus de cérémonie dans la poitrine de l'officier. L'homme, en s'écroulant, fixait toujours Lionel dans les yeux.

Une fois le village de Bálaou nettoyé, Lionel entreprit d'entraîner sa troupe avec lui en direction des autres bourgades.

Puisqu'il lui restait amplement d'hommes sous ses ordres, il offrit à Mana de rester en son domaine avec les siens pour évaluer les dégâts des derniers événements, mais l'*ouboutou* s'y refusa.

— Non, moi vouloir tout connaître état Acaera. Moi vouloir cracher figure Iríria, Jali.

Avant même que la troupe de Lionel ne parvînt au village de Kairi, la nouvelle de son retour s'était répandue ainsi que l'étincelle sur une mèche d'étoupe, portée, non point par des estafettes*, mais par des îliens, certains réjouis, la plupart apeurés, qui voyaient changer la gouvernance d'Acaera pour la troisième fois en autant de lunes. Lorsque Jali, ses *bóyés* les plus fidèles et la régente Iríria reçurent l'information, ils hésitèrent un moment sur la marche à suivre.

— Fuyons par les montagnes, suggéra Jali. En la calanque que les Blancs ont baptisée « l'Oreille », nous trouverons un ou deux *canobes* qui nous permettront d'atteindre les îles voisines.

— Ce *noúbi* avec un seul œil n'est point si mauvais, tempéra Iríria qui parlait si rarement que, lorsqu'elle s'y adonnait, elle s'attirait l'attention de tous. Il comprendra sans doute notre rébellion, surtout si nous lui démontrons à quel point nous fûmes indulgents avec son capitaine.

— Le pirate dont tu parles est mort, grinça Jali qui entretenait les meilleurs informateurs. Leur nouveau chef est ce jeune bretteur, Lionel, qui n'entend jamais à rire et de qui nous avons si durement éprouvé l'épouse.

Derrière le matelas de jonc lui servant de couche, Iríria s'empara du carquois et de l'arc ayant appartenu à feu son mari, le cacique François.

— Partons! répliqua-t-elle simplement.

Ils passèrent devant le carbet de Baccámon sans s'arrêter. L'un des *bóyés* eut toutefois la prévenance d'aviser le villageois:

— Voilà ton gendre avec sa bande armée. À ta place, je ne moisirais point céans.

Banna, qui s'affairait à grager des tubercules à côté, se leva tel un ressort, une igname dans chaque main. Elle tourna la tête vers son époux, ainsi qu'elle aurait attendu ses directives, mais avant qu'elle déterminât si le silence de l'homme signifiait peur ou indécision, elle jeta là ses légumes pour courir vers le sentier.

La première, elle accueillit le nouveau chef qui, sabre dans une main et pistolet à la mèche allumée dans l'autre, pénétrait dans Kairi à la tête de ses hommes.

INTERMEZZO

— Adonc, les pirates ont pu recouvrer leur fameux trésor sans que les Espagnols se doutassent de son existence ?

— Non point, Vos Seigneuries. Le destin de ce trésor, duquel personne ne connaissait la cachette, à lui seul, annonçait toute l'épopée des années qui ont suivi.

— Allons donc ! L'emplacement d'une telle fortune ne pouvait être tenu secret par le seul Cape-Rouge ?

— Ce néanmoins, Votre Seigneurie, l'immense richesse venue des rapines des gueux des mers et du sac de Virgen-Santa-del-Mundo-Nuevo ne se trouvait point en la crique où les pirates la croyaient trouver. Tout avait disparu.

— Je ne peux souscrire à…

Le juge en chef lève une main devant son subordonné.

— Laissons cela, pour l'instant, maître Dalmeras. Apprenez plutôt à cette Cour, monsieur, comment réagit le vice-roi à propos de cette partie non respectée de… l'entente avec le *capitán* Luis Melitón de Navascués.

— Selon le Mixtèque que je connus, Votre Seigneurie, *don* Luis de Velasco parut indifférent à ce détail. Toutefois, je le soupçonne fort d'avoir été le parrain des mercenaires qui, par après, essaimèrent la mer des Antilhas à la poursuite du trésor de Cape-Rouge.

— Et pour le reste de sa promesse envers le *capitán* de Navascués ?

— Fidèle à sa parole, le vice-roi le rendit dans tous ses honneurs en gommant des procès-verbaux cette affaire de trahison, rendant même à l'officier force louanges lors d'une messe chantée pour les âmes des soldats morts au cours de cette expédition.

15

Il restait fort peu de la population initiale du village. Maladies et combats avaient eu raison de bien du monde, hommes, femmes et enfants confondus. Plusieurs carbets se trouvaient abandonnés, baillant une aura lugubre à l'agglomération. Une dizaine de femmes çà, une douzaine d'hommes là, quelques enfants, trois de ces chiens étranges qui ne jappent point, mais sont bons à manger, deux chapons* engraissés à l'époque sur l'*Ouragan*, voilà tout ce qui formait l'animation de la place. Sur deux rangs ceignant l'entrée du grand *tabouï*, là où le cacique François avait naguère élu ses quartiers, plantés sur des échalas, les crânes blanchis et édentés d'anciens ennemis sacrifiés, un certain Gros-Dos, un curieux Doublon d'Or, et plusieurs autres dont Lionel ignorait les noms, semblaient ricasser de cette revanche tardive.

Le jeune capitaine s'entretint un long moment en privé avec Banna, sa belle-mère.

Elle ne lui fit assavoir guère à propos de l'état de l'île et de la mort d'Anahi qu'il ne sut déjà. Le garçon se surprit seulement d'apprendre que l'enfant reconnu pour sien vivait sur une autre terre, loin de la folie qui régnait céans.

— Il te bat encore?

Banna s'étonna que, au lieu de démontrer de l'intérêt pour son enfant ou de se réjouir de le savoir sauf, son gendre s'informait plutôt d'elle. Il laissait glisser un index caressant sur les mâchures bleutées que la femme affichait à la joue, aux bras, aux cuisses…

— Il se trouve fort contrarié par les événements; il rejette sur Anahi et moi les malheurs d'Acaera. À cause de nous, croit-il, les dieux, courroucés par notre refus d'offrir les Blancs en sacrifice, nous ont abandonnés.

— A-t-il fui? Je le trouverai; il paiera ce qu'il a fait.

Banna hocha doucement la tête puis se recula de quelques semelles, menton incliné, signifiant à la fois son émoi et son soulagement de se trouver au terme d'un long conflit. Elle conclut, à demi-ton:

— Il n'a point fui. Tu le trouveras au carbet.

Lionel, au lieu d'aller plus avant dans Kairi, suivi de Nazareno, Santiago, Grenouille, Philibert, Urael et quelques Noirs, traversa l'allée de crânes pour entrer se protéger du soleil sous le toit du grand *tabouï*, en l'aire publique, sans murs, qui tenait lieu de grande place du village.

— Qu'on m'amène les servantes qui doivent se tapir dans les quartiers du cacique, là, au fond, et qu'on me trouve les *bóyés*. Je veux…

Une petite mêlée éclata près des échalas. Des Africains venaient de s'emparer d'un Kalinago qui cherchait à s'approcher. Ils le traînèrent face à Lionel.

— Je m'appelle Cassavax, dit l'homme.

— Je te connais, répondit le capitaine en caribe.

— Avec deux amis miens, je t'apporte un cadeau. En retour, je demande ton indulgence.

Lionel considéra le port hanché de l'homme à cause d'une jambe plus courte que l'autre.

— Je ne marchande point.

— Nous te l'offrons quand même, jeune chef, car nous espérons ainsi te plaire et te démontrer que nous ne sommes point tes ennemis. J'ai servi ton ancien maître, le capitaine Cape-Rouge, lorsque nous avons combattu les Espagnols. J'étais son truchement. Je me désolais de son sort. Je suis des vôtres, crois-le bien.

Lionel réprima son mépris pour ces attitudes de soumission que les faibles démontraient souvent envers les forts. Lui-même, avait-il agi de la sorte, deux ans plus tôt — ou était-ce trois? — lorsqu'il s'était retrouvé entre les griffes du *capitán* Luis Melitón de Navascués?

— Et ce cadeau? demanda-t-il.

Cassavax se tourna pour crier le nom de ses camarades cachés derrière un carbet voisin. Deux hommes du village de Márichi apparurent en tirant derrière eux une corde reliant les mains liées de Jali et d'Iríria.

— Voici les responsables de nos malheurs, chef Lionel. À toi d'en disposer et pense à nous épargner.

— Et les autres *bóyés* qui ne quittaient jamais la suite de ce traître? demanda Lionel en désignant Jali de la pointe de son sabre. Et les prêtresses qui officiaient lorsque...

— Tu trouveras leurs cadavres sur la piste, juste là, à la sortie du village, où nous les avons surpris tandis qu'ils fuyaient.

Le garçon eut un signe pour les Noirs afin qu'ils approchent les prisonniers. À l'intention de Cassavax, il désigna Iríria.

— C'est bon. Je t'accorde le pardon, comme je l'accorderai à tous ceux qui me ramèneront la tête d'un suppôt demeuré fidèle à cette garce.

— Merci, capitaine.

Et Cassavax, en compagnie de ses camarades, quitta le *tabouï*. Lionel se plaça face à la régente dont l'expression froide jurait avec la mine apeurée de Jali. Il dut faire un effort pour ne point admirer le courage de la souveraine. Elle ouvrit les lèvres pour parler ainsi qu'elle le faisait fort peu souvent.

— Toi et les tiens avez détruit les miens. Un jour, nos dieux vous châtieront.

— En attendant, c'est toi qui meurs.

Le garçon plaça le canon de son pistolet sur le front de la femme et appuya sur la détente. Iríria ferma les yeux davantage pour prémunir ses pupilles de la poudre qui prenait feu que par crainte de mourir. Tirée à bout portant, la balle traversa son crâne pour s'aller perdre dans les fourrés derrière le grand *tabouï*.

Au bruit de la détonation, Jali poussa un cri d'effroi et recula d'une semelle ; le corps de la souveraine s'écroula à ses pieds. Sa lèvre inférieure se mit à trembler et s'il ne supplia point Lionel de lui laisser la vie sauve, c'est que la peur l'empêchait de parler. Il se mit à sangloter ainsi que l'enfant surpris sous l'orage.

— Philibert.

— Capitaine?

— Voici l'instigateur du massacre d'Ayaou, l'initiateur de la mort de ton jumeau, notre brave Robert.

— C'est à moi que tu l'offres, capitaine? demanda le pirate filiforme en fixant son regard dans les yeux baignés de larmes de Jali.

— Si cela peut épancher quelque peu le chagrin qui te mine, il t'appartient.

— Merci, capitaine.

Sans lâcher le grand *bóyé* des yeux, ainsi qu'il évacuerait sa propre peine à travers celle de l'autre, Philibert tira de son baudrier un lourd braquemart. Il le souleva haut au-dessus de sa tête afin de l'abattre le plus lourdement possible contre le cou du prêtre. Il espérait décapiter sa victime d'un seul élan afin de s'en glorifier par la suite et, lors de ses prières, en réjouir la mémoire de son frère. Soit il évalua mal la trajectoire de sa lame, soit il mésestima la force à appliquer, toujours est-il que les chairs ne s'ouvrirent qu'à demi, le crâne tombant sur l'épaule dextre, mais toujours en place. Deux autres coups furent nécessaires pour que la tête se détachât tout à fait du tronc.

Lorsque tout fut enfin consommé, Lionel, le regard redevenu lumineux, ainsi qu'on s'apprête à déguster une douceur qui nous affriande particulièrement, plaçant une main sur l'épaule de Santiago, demanda d'une voix neutre :

— Va maintenant nous quérir celui qui fut notre *banari* à tous deux, mon beau-père, ce maudit Baccámon.

⚓

Une fois la population des quatre villages instruite que le nouveau maître de la place était ce jeune étranger ferrailleur et vindicatif, la peur se décupla et plusieurs Kalinagos s'enfuirent dans la forêt, même les *bóyés* qui n'avaient point participé au sacrifice d'Anahi. Toutefois, d'autres informations ne tardèrent point à circuler acertainant que les instigateurs seuls de la révolte seraient punis. Malgré cela, plusieurs, surtout parmi les hommes et les femmes-médecine, élurent de quitter l'île en *canobe*, espérant trouver asile sur quelque autre terre.

Rassemblée sous le toit du grand *tabouï* de Kairi, la population avait été convoquée — à la pointe des lames pour quelques peureux — afin de reconnaître les cadavres de ceux tenus pour responsables de la situation. Les têtes d'Iríria, de Jali et des autres *bóyés* associés à la rébellion étaient exposées au bout d'échalas qui, bientôt, une fois les crânes dépecés et lavés, iraient rejoindre ceux de l'entrée.

— Peuple d'Acaera! lança Lionel dans son caribe fort convenable hormis pour quelques mots appartenant davantage au dialecte des femmes plutôt qu'à celui des hommes. Je m'adresse à vous, ce jour d'hui, en tant que nouveau chef des marins, blancs, rouges et noirs confondus. De graves événements ont touché cette île et, par respect pour tous ceux parmi vous, notamment du village de Kairi et de Bálaou, qui sont demeurés fidèles à la mémoire de l'ancien cacique, je n'entreprendrai point d'action de revanche qui ne ferait qu'ajouter au sang déjà trop grandement versé.

Les murmures d'approbation restèrent discrets, car la peur avait trop pénétré les cœurs. Toutefois, des coups d'œil de soulagement s'échangeaient çà et là entre les Naturels.

— Puisque la lignée de l'ancien cacique François s'est éteinte, poursuivit Lionel, il faut en nommer un nouveau, et les dieux me sont témoins que je ne brigue point cette charge. Il vous faut donc créer céans une nouvelle dynastie de souverains qui, vous en serez contents, ne seront point blancs ni même demi-blancs puisque ces circonstances ont déjà trop divisé votre peuple et que vous continueriez à redouter la vindicte de vos dieux. Cependant, afin d'assurer à Acaera un cacique digne d'elle qui ne se sera point souillé dans les prévarications, diableries et autres trahisons, aucun de vous ne sera élevé à cette dignité.

Les sourcils se froncèrent ou s'arrondirent davantage par étonnement que par offense. Lionel précisa :

— Afin de gouverner votre peuple, moi, triomphateur des Espagnols, vos conquérants, moi, qui pardonne vos fautes, tire du milieu de vous un guerrier estimé, non seulement dans son propre bourg, mais dans tous

les autres hameaux d'Acaera, un guerrier qui
a su rester fidèle à vos souverains précédents
et à vos dieux, un guerrier que j'estime ainsi
qu'un frère…

Lionel tendit son bras dextre afin d'inviter un homme à se détacher du groupe et à
s'approcher de lui.

— Peuple d'Acaera, acclame ton nouveau
cacique : l'*ouboutou* Mana du village de
Bálaou !

Davantage de soulagement que d'enthousiasme véritable, la foule poussa quelques cris qui se voulaient joyeux, mais dans
lesquels on devinait toujours de l'appréhension. Le jeune chef des étrangers fit l'accolade
au cacique puis tordit le tronc à demi afin de
s'adresser aux hommes derrière lui. Il y eut
une brève bousculade avant qu'on introduise
devant la foule la silhouette lardée de blessures de Baccámon.

— Peuple d'Acaera ! répéta Lionel avec
une gestuelle un peu ampoulée de son bras
dextre. Remembre-toi cet homme, remembre-
toi ce qu'il fit ou laissa faire à la femme qui
fut mon épouse, qui fut sa propre fille.
Ressouviens-toi qu'il prenait les dieux, *vos*
dieux, à témoin de son oblation, prétendant
de la sorte apporter guérison à ceux qui se

mouraient et sérénité à ceux qui étaient las de la guerre. Peuple d'Acaera, est-ce que Chemíjn ou Mápoya lui furent reconnaissants pour sa cruauté?

— *Bouleekialam!* Non point!

— Mérite-t-il la mort pour avoir si peu considéré le fruit de sa chair? Pour n'avoir point su taire ses propres rancœurs et véritablement entendre la volonté de vos divinités?

Les Kalinagos n'étaient point certains qu'il s'agissait bien là de la volonté des dieux, mais ils n'ignoraient point que c'était celle du jeune chef.

— *Attoüati!* Oui!

— Ainsi sera rendue justice, non seulement à Chemíjn et Mápoya, mais aussi à Acaera, terre des Kalinagos, aussi aux martyrs qui ont eu foi aux paroles des assassins rebelles et à celles d'un père indigne.

Lionel agrippa à sa racine la longue couette de cheveux qui pendait dans le dos de Baccámon et força l'homme à le regarder dans les yeux. De son expression la plus haineuse, il grinça entre ses dents:

— Tu ne souffriras point longtemps, beau-père et *banari*, mais tu souffriras au-delà de ce que tu imagines. Ouvre grandes tes paupières et contemple, horrifié, ce qui advient à celui qui trahit sa propre enfant dans le seul dessein de transmettre la douleur à celui qu'il a appris à haïr.

Lionel extirpa un long poignard de sa ceinture et, baissant les yeux sur la poitrine de Baccámon, d'un mouvement lent, moins pour faire durer le supplice que pour s'assurer de ne toucher aucun organe vital, fit une longue incision du nombril jusqu'au sternum. Un peu de sang jaillit, mais la source se tarit rapidement, éclusée par la constriction naturelle des vaisseaux sanguins. Baccámon se mit à haleter.

— Tu as mal ? grinça Lionel. Déjà ? Mais non, ce n'est rien. Observe.

Tranchant de la lame vers le haut, usant de plus de force, le garçon entreprit de découper l'os au centre de la poitrine de sa victime, séparant de la sorte la cage thoracique en deux moitiés. Le Kalinago aurait voulu hurler, mais la douleur le prévenait de gonfler ses poumons à ce dessein. Il se contenta de conserver le peu de volume d'air qu'il lui restait afin de ne point s'asphyxier. Lorsque le poignard parvint à la hauteur de la fourchette sternale, à la limite de sectionner les tissus dans la gorge, Lionel retira le poignard et le jeta à ses pieds. Baccámon ouvrit les yeux encore plus grands, posant sur son gendre une expression interrogatrice.

— Afin de laver l'honneur entaché de ma bien-aimée Anahi, cria Lionel en se déplaçant légèrement de côté afin que tous pussent bien observer le sacrifié, afin de redonner à Acaera un peu de la dignité perdue par la sottise de ceux qu'elle abrite, je prie Mápoya et Chemíjn de pardonner à son peuple et d'accepter mon offrande !

Il glissa les doigts dans l'incision pratiquée et, muscles bandés, à travers un craquement atroce, ouvrit plus largement la cage thoracique de Baccámon. Les jambes du Kalinago fléchirent sous lui, mais il était solidement retenu par Santiago et Urael à l'arrière. Ses yeux imploraient Lionel de cesser de farfouiller en sa poitrine tandis que ses lèvres remuaient en une supplication muette. Ainsi qu'il aurait agréé à sa demande, le garçon retira ses mains, mais ce fut pour mieux y replonger la dextre par la suite. Le visage de Baccámon se tordit alors dans une douleur inimaginable de sorte que même les plus endurcis des pirates froncèrent les sourcils.

— Dieux du peuple kalinago, acceptez cette oblation !

De la poitrine de Baccámon, Lionel retira une masse d'un rouge foncé, presque brun, qui palpitait entre ses doigts. Des jets de sang giclaient dans toutes les directions.

— Meurs, misérable ! Meurs en observant celui que tu as tant méprisé manger ton cœur !

Craignant que sa victime n'expirât avant qu'il en eût terminé, sans prendre le temps d'arracher complètement quelques tissus tenaces, le garçon porta la chair sanguinolente à sa bouche et y mordit avec rage. Baccámon l'observa d'un air incrédule, ouvrant et refermant la bouche ainsi qu'un poisson hors de l'eau, incapable de respirer.

Lorsque les pupilles du Kalinago roulèrent enfin dans la mort, une bouche au rictus haineux mastiquait toujours son viscère.

⚓

Comme cela lui arrivait fréquemment, mais point pour aussi longtemps, Banna partit seule un matin en *piragua*. On ne la revit point pendant les cinq jours suivants. Personne ne s'en soucia vraiment.

Les pirates, sous l'initiative de Lionel, avaient entrepris de radouber l'*Ouragan*. On avait réussi à remettre le lourd navire à flot. Le grand mât arrière et l'artimon furent changés, la dunette reconstruite en bonne partie, toute la portion du tillac fragilisée par l'incendie remplacée. Les flammes n'avaient point touché l'avant, aussi laissa-t-on faire, et les basses voiles affectées furent ravaudées à partir de celles de la *San Pedro*. D'ailleurs, tout ce qui pouvait être de quelque utilité sur la caravelle — les canons, par exemple — fut transféré à bord du galion.

La négrière ne servirait plus.

— Par le caleçon du Christ, bande d'hérétiques ! Ça me réjouit de vous revoir !

— Je rêve ou quoi ? s'étonna Lionel qui se trouvait en la cabine de l'*Ouragan* à réaménager la pièce à sa manière, Nazareno sur les talons. Je reconnais cette voix.

— Hé, hé ! Tu ne divagues point, capitaine, ou me voilà mixtionné en ta chimère, ricassa Santiago qui s'affairait à réparer la porte. Ça semble bien là le Jésuite qui nous arrive. Hé, hé !

Les deux hommes émergèrent sur la dunette pour apercevoir le moine défroqué, sa bure en laine roulée à la taille, torse nu

à cause de l'intense chaleur humide prélu-
dant les averses, en train d'enjamber le garde-
corps à la hauteur de l'échelle de coupée.

— Fadrin! lança-t-il, dos arqué, les bras
en croix, en apercevant Lionel derrière la
balustrade. Il paraît que je dois maintenant
t'appeler «capitaine»? Et toi, Santiago, par
les moustaches de la Madone! De quel titre
dois-je user pour m'adresser à toi? Altesse
Sérénissime? Saint-Père?

Oubliant un instant son nouveau rang, le
jeune capitaine se précipita en bas des esca-
liers pour serrer son compagnon contre lui.
Il nota l'éternel poignard-crucifix pendouillé
à son cou, non point cette fois contre le tissu
vulgaire de la soutane, mais sur sa peau de
nourrain*.

— Jésuite! Par quel miracle apparais-tu
céans? On te croyait massacré comme les
autres sur Ayaou.

Avant de répondre, le moine défroqué
accueillit à son tour en une embrassade son
bon copain Santiago. Puis, appuyant un bras
sur chacun de ses compagnons, il dit:

— Tout comme moi, vous croirez en un
dieu pour les excommuniés lorsque je vous
narrerai les aventures m'ayant préservé des

événements qui ont secoué cette foutue île. Mais d'abord, tout d'abord…

Il abandonna les épaules de ses amis pour se tourner vers un jeune homme, grosse tête aux cheveux bouclés, vêtu d'un simple caleçon élimé, qui, à son tour, enjambait le bastingage.

— Vous reconnaissez Fulgenzio qui navi-guait sur la *San Pedro* et qui n'a point été choisi pour aller avec vous en Afrique.

— Il y a aussi un dieu pour les invertis espagnols, répliqua Lionel en songeant au massacre de tout l'équipage du capitaine Zúñiga. Ce marin a… Banna! Voilà plusieurs jours qu'on t'a vue!

La femme venait de surprendre Lionel en apparaissant derrière la lisse. Le garçon allait lui tendre la main pour l'aider à prendre pied lorsqu'il se trouva plutôt face à un petit paquet de langes au milieu desquels se dessinait l'orbe cuivré d'un visage d'enfant. Il eut un mouvement de recul et ce fut le Jésuite, sans paraître remarquer le malaise de son jeune commandant, qui se saisit de Gédéon. Banna grimpa sur le pont, silen-cieuse à son habitude, mais souriante, l'œil tourné vers l'échelle, trahissant qu'on atten-dait encore quelqu'un.

— Ah! Et voici Macoa, annonça le Jésuite, de l'île Imoúgaribonê.

— Que fait cet homme ici? demanda Lionel, un froncement léger aux sourcils.

— C'est le cousin de Banna...

— Ah? Bon.

— ... et le véritable père d'Anahi.

En ce qui était désormais sa cabine à bord de l'*Ouragan*, Lionel ne consentit que la présence du Jésuite, de Banna et du fils d'Anahi. Nazareno, Fulgenzio et Santiago eurent à s'occuper au milieu de l'équipage tandis que Macoa attendait à terre.

— Pendant tout ce temps, conclut le Jésuite, affalé contre le dossier d'un fauteuil placé devant la table, face à Lionel, Fulgenzio et moi avons vécu au milieu du peuple dont est issue Banna. Nous avons appris par des pêcheurs qui maraudent les eaux entre les îles que les Espagnols avaient envahi Acaera. Ensuite, d'autres nous ont avisés du sort que Baccámon avait réservé à ton épouse... puis ce qui s'en est ensuivi. Je m'en suis trouvé fort marri.

Lionel posa deux paumes sur la table en inspirant profondément. Il répliqua:

— Bien des événements se sont précipités au cours des derniers mois, Jésuite, mais tout cela, dorénavant, est temps révolu. Sitôt l'*Ouragan* radoubé, nous reprenons la mer, d'abord pour l'Afrique, afin de rembourser ma dette aux Nègres, ensuite, pour récupérer le trésor de Cape-Rouge avec lequel nous bâtirons un monde à nous sur quelque île, voire sur la *Tierra Firme*. De là, nous courrons les Antilhas et rendrons fous les Espagnols par nos attaques et nos rapines.

Le Jésuite parut embarrassé. Cela se remarquait d'autant plus chez lui qu'il en fallait beaucoup pour le troubler et, quand cela survenait, il triturait entre ses doigts la gaine de son poignard-crucifix. Le visage de Lionel se ravina de fronces. Il s'étonna :

— Cela ne t'agrée point ? Ceux qui ne veulent plus embarquer dans l'aventure ne seront point forcés.

— Cela n'a mie à voir avec l'aventure, Lionel. C'est plutôt… Voilà des jours que je me creuse la tête à ce propos : plus personne ne sait où Cape-Rouge a caché son trésor. Enfin, le nôtre, désormais.

— Que racontes-tu ? Chacun sait que le fruit de nos pillages est sur Ayaou, enfoui en cette grotte de la crique de…

— Non.

Le Jésuite venait de lever une paume en hochant la tête de gauche à droite.

— Tu iras t'en faire toi-même une idée, Lionel, mais tu ne trouveras point le trésor. Un jour, tandis que vous étiez en route vers l'Afrique, Cape-Rouge, secondé de nos camarades les plus sûrs, Joseph, Robert et Poing-de-Fer, dans une grosse barque, a transféré ailleurs tout l'or, l'argent et les pierreries. Il ne reste que les objets monnayables tels les tapis, tentures, le bois de brésil, etc. Des hommes qui ont assisté notre capitaine, il ne reste aucun survivant.

— Sauf toi.

— Je n'étais point de l'équipage. Cape-Rouge m'avait donné mission de surveiller les graines de fripons qui bâtissaient notre havre sur Ayaou. Et puis, j'étais fiévreux, tu sais, ces maudits maux des tropiques ; Fulgenzio prenait soin de moi.

Lionel resta de longues secondes à fixer l'homme à la bure. Ce dernier, triturant plus que jamais la gaine de son crucifix, finit par lâcher :

— Tu ne me crois point, si ? Tu penses que je garde le secret pour moi seul ?

— Bien sûr que non, Jésuite, répliqua Lionel en continuant de fixer le moine dans les yeux. J'ai confiance en ta parole.

— Mais tu iras quand même t'en garantir en allant en la grotte en question.

— Au moins pour récupérer les biens monnayables.

— Au moins.

Le Jésuite, que la nouvelle assurance de Lionel déconcertait au certain, s'obligea à changer de propos. Du regard, il fit mine de s'intéresser aux nouvelles dispositions des meubles dans la cabine, y cherchant quelque matière à aborder lorsqu'il nota Banna assise sur le lit à baldaquin. Puisqu'elle n'entendait rien au français, la femme s'était désintéressée de la conversation pour nourrir Gédéon en trempant son petit doigt dans une bouillie de maïs. Le Jésuite balbutia :

— Dis-moi… l'enfant, que feras-tu de ?…

— Je redonne Gédéon à Banna ; elle l'élèvera sur Acaera parmi les siens.

— Le quart des siens, tu veux dire. C'est tout ce qui en reste.

— Le quart, si tu préfères.

— Ils ont déjà cherché à le tuer, ils essaieront peut-être encore, se figurant son sang

mêlé ainsi qu'une offense à leurs démons
païens.

— Mais non. Ou alors que Macoa conti-
nue de l'élever sur Imoúgaribonê.

— Lionel.

— Quoi ?

— Enfin, Lionel.

— Quoi ?

— C'est ton fils. Sa place est près de toi.

Lionel soupira bruyamment avant de
lâcher, d'un seul souffle, en français et en
caribe à l'égard de Banna :

— Gédéon n'est point mon fils. *Niankeili-
pati.*

La femme parut moins surprise que le
Jésuite. Anahi avait peut-être instruit sa mère
du secret, à moins qu'il ne se fût agi de
simple perspicacité. Qu'importait.

— Le *teniente* Rato ? demanda le Jésuite.
C'était donc le vrai père ?

— J'ai affirmé l'opposite afin de soustraire l'enfant aux sacrifices et de plaire à
Anahi.

Banna n'avait point à entendre la langue
pour comprendre la tournure de la conversation entre les deux pirates. Le bébé assouvi,
elle quitta le matelas, déposa le *coy* de bouillie
à terre et s'approcha de Lionel.

— Ton épouse est morte pour cet enfant, dit-elle. À toi d'en disposer.

Elle le lui remit entre les mains et, sans une parole de plus, quitta la cabine.

— Elle a raison, approuva le Jésuite qui avait saisi le caribe. Opte pour l'élever ou le laisser mourir, mais ne rejette point sur autrui la responsabilité d'en faire un homme.

Et, à son tour, il franchit la porte qu'il prit bien soin de refermer derrière lui, laissant Lionel seul en compagnie de l'enfant.

Une pluie lourde martelait l'*Ouragan*, étouffant les bruits des matelots affairés aux besognes du radoub. Les vitres de la cabine se rainuraient d'eau ruisselante et, dans le soir avancé, ne jetaient plus qu'une lueur ténébreuse à l'intérieur. Les jours précédents, à cette même heure, Lionel avait déjà allumé les lampes, mais ce soir-là, il s'en abstint. L'enfant repu dans ses bras, il en était toujours à débattre du dilemme que celui-ci posait : trahirait-il la mémoire d'Anahi, trahirait-il l'immense amour qu'il entretenait encore pour elle, s'il laissait mourir l'enfant ? À l'inverse, s'il élisait de le prendre sous sa coupe, ne serait-ce point son pire rival à jamais, le *teniente* Joaquín Rato qui, par-delà les limbes et les profondeurs de son bûcher en enfer, se gobergerait de lui?

— Tu me poses là une bien drôle d'affaire de conscience, toi, murmura-t-il au bébé tenu contre la saignée de son bras senestre.

Éclairé par la fenêtre, il s'efforçait de rechercher dans le visage poupin les traits de son ennemi espagnol.

— Si je reconnais en toi le moindre aspect de Rato, chuchota-t-il, j'ouvre cette croisée et te baille à la mer.

L'enfant se contenta de le regarder de ses grands yeux foncés, bridés ainsi que ceux des Naturels, sous une chevelure drue et noire piquée sur son crâne. La peau de son visage affichait le teint cuivré qu'arborait le *teniente*, mais n'était-ce point là également une caractéristique des Amériquains? La ligne de nez? Les joues? Le menton? C'était Rato?

Non?

— Aide-moi, dit doucement Lionel que le bébé fixait, une ligne soucieuse entre les sourcils. N'attends point que je m'attache à toi. Montre-moi ce qui en toi appartient à ton père afin que, dès ce soir, j'élise de me débarrasser de toi.

De manière machinale, il caressait de l'index le menton minuscule, appréciant la douceur de cette peau de quelques mois. Pouvait-on sourire à cet âge? Lionel l'ignorait, tout comme il ignorait si, avec ses caresses distraites, il avait chatouillé l'enfant. Ce dernier, perdant son pli au sourcil, échappant un léger gazouillis, étira un souris. Point trop longtemps, une seconde, guère plus, mais un souris.

Lionel aspira bruyamment une brève goulée d'air ainsi qu'on l'aurait aspergé soudain avec un muid d'eau glacée. Dans l'expression amusée de Gédéon, il venait de reconnaître, non point ce rictus affiché parfois par Banna — qui n'avait guère d'occasion de faire preuve de plaisir —, mais le vrai, l'admirable, l'éblouissant sourire d'Anahi.

Lionel, qui n'avait pleuré ni la mort de son capitaine, ni celle de son bosco, ni même celle de sa bien-aimée, devant ce petiot bien vivant qui lui rappelait qu'on existait toujours par ses enfants après soi, sanglota jusqu'au matin, le bébé sur son cœur.

NOIR

point

pouvoir de cette

aux impertinences.

réussi à démontrer à

le capitaine Mange-

propos

ÉPILOGUE

— Adonc, Vos Seigneuries, voilà à ma connaissance les circonstances tragiques qui concoururent à la naissance du capitaine Lionel Sanbourg, que vous connaissez mieux sous la désignation de pirate Mange-Cœur. Ce destin qui fut sien, il le subit davantage qu'il ne le choisit.

— Chacun de nous achoppe contre des choix difficiles dans la vie, monsieur, certains choisissent la voie de Dieu, d'autres les chemins plus faciles qui mènent à la perdition.

— Contrairement à ce qu'ont prétendu Vos Seigneuries au début de mon témoignage, ce procès aurait donc des velléités religieuses ?

— Monsieur, il en revient à la Cour de déterminer…

Le président fait taire son magistrat en plaçant une main sur son bras. Il me fixe ensuite de l'air sévère du paternel face à un enfant turbulent et me dit :

— Nous n'avons point, monsieur, à débattre avec vous des pouvoirs de cette Cour. Prenez garde aux impertinences.

— Je croyais avoir réussi à démontrer à Vos Seigneuries que le capitaine Mange-Cœur, en fonction de l'époque qui a vu son avènement et tout au long du demi-siècle qui a suivi, ne prétendait point s'attaquer aux intérêts de Sa Majesté ni à ceux des princes avant elle et qui ont régné sur la France. Il a toujours combattu vaillamment les ennemis du royaume, en s'enrichissant, certes, mais est-ce là un mal si cette fortune fut, par après, dépensée dans les ports françois?

— Cela suffit, monsieur... Sanbourg, n'est-ce pas? C'est bien là votre nom: Gédéon Sanbourg?

— Au vrai, Votre Seigneurie.

— Vous portez le même patronyme que Lionel Sanbourg, le capitaine Mange-Cœur?

— Il m'a fait l'honneur de me bailler son nom, en effet, Votre Seigneurie.

— Pour protéger votre mère?

— Si fait, Votre Seigneurie. Le capitaine Mange-Cœur, lorsqu'il me fit baptiser, ainsi qu'il aurait élu de me soustraire à mon véritable père, m'a attribué le nom de ses aïeuls. Je présume qu'il figurait ainsi voir son terrible rival rager du fond des enfers.

— Voilà qui a dû vous contrarier fort lorsque vous le sûtes.

— Non point, Votre Seigneurie. La haine que le capitaine vouait à mon véritable père était largement compensée par l'amour qu'il a entretenu toute sa vie pour ma mère. Et c'est grâce à cette affection que je n'ai point été noyé dans mes langes le soir où ma grand-mère a quitté le navire pour s'en retourner à jamais chez son cousin de l'île Imoúgaribonê.

— Vous lui devez beaucoup.

— Au vrai, pour moi, il s'est avéré le meilleur des pères. Que Vos Seigneuries, qui se préparent à le juger, ne démontrent point trop de zèle en l'application de nos lois. Les circonstances dont je viens de vous narrer le récit en usant de mon privilège royal devraient pouvoir trouver indulgence en vos cœurs.

Tous les magistrats me fixent et, pour me prévenir de laisser paraître une émotion, une morgue ou une faiblesse faisant tort à mon plaidoyer, je tourne le regard vers les accusés. Dans mon dos, ne laissant ouïr qu'un reniflement isolé ou un raclement de gorge discret, l'assistance entretient un silence ému. Les pirates, retranchés derrière le parement de bois des accusés, têtes hirsutes, plaies, guenilles et chaînes entremêlées, m'observent avec intensité. Les ai-je voirement défendus en racontant sans ambages, sans trahir la vérité, leurs frasques, leurs infortunes et leurs rêves ou ai-je, malgré moi, dépeint les monstres dont cette Cour entend se convaincre pour se mieux justifier de les mettre à mort?

Au milieu de ses hommes, Mange-Cœur se lève à demi; le beau vieillard tient à s'assurer que c'est lui que je regarde, point ses mariniers. Lui que, pendant un demi-siècle, j'ai suivi lors qu'il semait la terreur sur les eaux du Nouveau Monde considère-t-il mon témoignage ainsi qu'une reconnaissance de loyauté ou une marque de trahison? Se prépare-t-il à me lancer quelque invective?

Sa bouche s'entrouvre, mais aucun son n'en émerge. Dans la lumière faiblarde qui tombe des ajours servant de fenêtre, ainsi que miroite la rosée sur le pétale au matin, au milieu des fentes minuscules laissées par ses paupières, je vois miroiter les larmes dans les yeux de mon père.

— Qu'espérez-vous de ce procès, monsieur? demande soudain le président en me faisant presque sursauter. De votre témoignage?

Je pose de nouveau le regard sur les juges et, haussant vaguement les épaules, réponds:

— Éviter au capitaine Mange-Cœur de calculer le bilan de sa vie à la somme de ses regrets.

Le vingt-deuxième d'avril,
an mil six cent trois

Procès du capitaine Lionel Sanbourg autrement nommé capitaine Mange-Cœur

Annotations
Terme du plaidoyer de Gédéon Sanbourg, premier témoin, agréé d'un privilège royal détaillé au registre et seul appelé ne comptant point parmi les accusés.

Adoption des dispositions relatives aux nouveaux délais votés par les officiers de justice.

Le procès se poursuivra avec la lecture comparée des écrits intimes du capitaine Mange-Cœur et des journaux de bord de Gédéon Sanbourg.

Que Dieu bénisse cette Cour.

GLOSSAIRE

Aheurter (s') : S'entêter.

Ajoupa : Abri fait de branchages et de feuilles, liés par des cordes de maho.

Alezan : Cheval à poils jaune rougeâtre.

Alguazil : Tout agent de la justice chargé de procéder à des arrestations ou d'effectuer des surveillances.

Allicier : Séduire. Donner goût à.

Appariteur : Huissier d'une cour ecclésiastique.

Ballestra : Bond sur les deux pieds suivi d'une attaque.

Banne : Panier.

Baraterie : Mauvais tour.

Barbe : Race de cheval.

Basane : Peau de mouton tannée.

Batata : Patate.

Becter : Manger.

Bélître : Vaurien.

Biscaïenne : Dague que les escrimeurs espagnols maniaient de la main gauche en guise de bouclier autant que de deuxième lame.

Borée : Vent du nord.

Brai : Résidu de goudron servant au calfatage.

Çaçágouti ichibou : Visage piqué, marqué de vérole.

Cagnard : Synonyme de paresseux. Aussi, abri fait sur le pont d'un navire, au moyen d'une toile goudronnée, pour les matelots de service qui veulent se préserver de la pluie et du froid.

Calanque : Crique allongée.

Chapon : Coq châtré et engraissé pour la table.

Chiourme : Ensemble des rameurs d'une galère.

Coiffer : Séduire, convaincre. Se coiffer de : Prendre quelqu'un en affection.

Compuloire : Nous retrouvons ici plusieurs termes anciens utilisés lors des procès de l'époque. Intendits : faits détaillés par écrit et dont on entend faire preuve. Acaration : confrontation. Compuloire (ou compulsoire) : procédure par laquelle le juge ordonne la production d'une pièce détenue par un officier public et d'une manière plus générale, par une personne qui n'est pas partie à un procès. Déclinatoire : acte de procédure par lequel un défendeur conteste la compétence de la juridiction saisie.

Coulpe: Faute, péché.

Crapoussin: Trapu, allure de crapaud.

Demoiselle: Libellule.

Diablerie: Complot.

Drissée: Série de pavillons placés sur les drisses et qui envoyait un message aux autres navires.

Ducat: Monnaie d'argent. À l'époque, valeur de 375 maravédis.

Ébarouir: Dessécher, en parlant de l'action du soleil. (Terme de marine)

Économe: Comptable.

Égrotant: État maladif permanent.

Espérer: Attendre.

Essangeage: Nettoyage d'un tissu de façon rudimentaire.

Estafette: Agent de liaison militaire.

Estramaçon: Longue et lourde épée à deux tranchants.

Étoupille: Mèche d'étoupe destinée à enflammer une charge explosive.

Eyyoua: Ananas.

Freluche: Petite chose de faible valeur. Étymologie de « freluquet ».

Gêne: Torture.

Genipa: Plante d'Amérique dont le suc, très noir, servait d'encre pour les dessins corporels et pour écrire.

Grager: Râper. Le produit, la râpe du manioc, se dit «grage». Le mot est encore en usage aujourd'hui dans la langue créole.

Gras-fondu: Maladie du cheval caractérisée par une diarrhée et un amaigrissement prononcé.

Guildive: Ancêtre du rhum qui n'apparaîtra véritablement qu'à la fin du xvie siècle ou au début du xviie siècle, voire cent ans plus tard encore.

Hable: Port de mer.

Haim: Hameçon.

Harper (se): S'empoigner, se quereller.

Hart: Corde avec laquelle les criminels étaient pendus.

Loyola (Íñigo De Oñaz Y): (Nom francisé en Ignace de Loyola) Fondateur de La Compagnie de Jésus. Avant la fin du xvie siècle, avant que le nom de Jésuite désigne les adeptes de l'ordre de Loyola, le mot avait une consonance vaguement péjorative pour désigner un moine en général.

Martel: Souci. Au xvie siècle, le terme signifiait aussi «jalousie». «Mettre le martel en tête à quelqu'un»: le rendre jaloux.

Mixtèque: Peuple mésoaméricain dont les descendants vivent toujours dans le Mexique actuel.

Moúle: Petit banc de bois utilisé par les Kalinagos.

Mudéjar: Musulman resté en Castille après la reconquête chrétienne.

Nimoínalou: Sang, en caribe.

Noúbi: Mot caribe signifiant «monstre».

Nourrain: Cochon de lait au début de la période d'engraissement.

Oblation: Offrandes faites à une divinité.

Oreille (boiter de l'): On disait d'un cheval qu'il boitait de l'oreille quand il portait alternativement la tête à droite et à gauche.

Ourse (prendre à): Voguer par un vent de travers à bâbord. Par tribord, on dirait «pouger» ou «aller à pouge».

Particulariser: Au XVIe siècle, on employait le verbe dans le sens de «faire connaître le détail de quelque chose».

Pasquinade: Bouffonnerie.

Pédané: Se disait d'un juge de moindre importance qui officiait debout.

Piéton: Soldat à la solde du roi. (À l'opposé d'un lansquenet dont les origines pouvaient être différentes de celle de l'armée et qui agissait à titre de mercenaire.)

Pouger: Voguer par vent de travers à tribord. Par bâbord, on dirait « aller à ourse » ou « prendre à ourse ».

Pourceau de mer: Marsouin, dauphin.

Pourchas: Poursuites.

Prépotence: Pouvoir.

Regidor: Aujourd'hui, le titre de *regidor* désigne un conseiller municipal. À l'époque, il s'agissait plutôt d'un gouverneur doté de plein pouvoir.

Remettre: Remettre quelqu'un, au XVIᵉ siècle, signifiait « se rappeler de lui ».

Requerimiento: À la suite d'un débat de plusieurs années en Espagne, on en vint à la conclusion que les Amérindiens n'étaient pas des bêtes, mais des humains. Ils étaient donc dotés d'une âme. Le roi Ferdinand d'Aragon proclama un édit qu'on lisait à une communauté avant de l'attaquer afin de justifier l'agression.

Sabouler: Bousculer.

Salmagonde: Sorte de ragoût où l'on mélangeait, à une sauce relevée, tous les restes (de poissons en général) des repas précédents. Il s'agissait d'un mets fort prisé des pirates.

Seing: Signature destinée à authentifier un acte.

Suest: Sud-est ou vent du sud-est.

Topique: Remède.

Tranche-montagne: Fanfaron.

Trigauder: Tromper quelqu'un.

Tukul: Case, hutte.

Turpitudes: Caractère ignoble de quelque chose, par extension, la vue des organes génitaux.

Vaisseau: Ancien terme pour désigner un récipient. Terme qui désigne aussi l'espace intérieur d'un grand bâtiment.

Val (à): En aval. Direction où l'eau s'écoule par opposition à l'amont (ou à contremont).

Vaunéant: Vaurien.

Vergogne: Honte. Par projection, parties honteuses ou organes génitaux.

Vernucher: Vagabonder. Ancien verbe utilisé dans le Poitou, considéré aujourd'hui comme un régionalisme canadien-français.

Vouerie: Endroit où l'on jette les déchets. Dépotoir.

TABLE DES MATIÈRES

PIRATES - III
L'Emprise des cannibales

PIRATES - IV
Les Armes du vice-roi

PIRATES - V
Trésor noir